달빛 소나타

신찬인 수필집

봄봄
스토리

서 문

나에게 물었다

언감생심, 작가가 되리라고 생각해본 적은 없다. 그저 살아오면서 퇴적된 기억의 편린들을 하나씩 들추어내어 정리하던 중, 우연히 수필가라는 별칭을 얻게 되었다. 그러나 생각을 맴돌 뿐, 글은 쉽게 써지지 않았다. 짧은 식견으로 세상의 이치를 헤아리는 것 자체가 어쭙잖은 일일지도 모른다. 그래도 문학이라는 새로운 세상과 만나는 것은 놓을 수 없는 즐거움이었다. 새싹이 파릇파릇 돋아나고 나뭇잎이 바람에 흔들리는 모습, 유리창을 두드리는 빗방울 소리와 이름 모를 새들의 속삭임, 개울에 있는 작은 돌 하나에서도 삶의 즐거움을 찾을 수 있었다.

그런데 보고 느낀 것을 글로 표현하고 나면, 무언가 완성되지 않은 부족함과 허전한 마음을 가누지 못하곤 한다. 생각으로 정리되지 않는 사물의 이치, 글로 표현되지 않는 생각이 마음을 답답하게 한다. 그럴 때면 글을 쓰기 전의 내 모습과 지금의 나는 어떻게 달라졌나를 비교해본다. 상상과 사유를 통해 나는 얼마나 정직하고 겸손해지고 지혜로워졌는지를 생각한다. 그렇게 문학은 끊임없이 나를 되돌아보게 하고 일깨워 준다.

감추고 싶었던 것, 생각하고 싶지 않았던 것, 무심결에 지나쳐버렸던 것들을 끄집어내서 표현하고 나면 속이 후련해지곤 한다. 마음속에 가두어 두면 곪고 상처가 될 것들이, 문학의 따스한 햇살 아래 놓이면 용서가 되고 새살이 돋곤 한다.

가끔은 사는 게 허전하고 시들해질 때가 있다. 손에 잡히고 눈에 보이는 것들이 시큰둥해질 때면, 외면하기보다는 그 이유를 찾으려고 사색에 젖곤 한다. 커피의 향기를 음미하며, 종소리의 맥놀이에 귀 기울이며, 물결의 끝자락을 바라보면서, 희미해지고 멀어져 가는 것을 쫓아 삶의 의미를 되새긴다.

그렇게 삶을 되작이며 쓴 글을 모아 책으로 엮었다. 살면서 흔히 마주치는 일에 작으나마 의미를 부여하고, 나름대로 생각을 곁들였다. 생각이 일천하고 수양 또한 부족하니 벅찬 일이었다. 단문이고 단견이다. 부끄럽기도 하다. 하지만 글을 쓰면서 왜 사는지, 어떻게 살아야하는지를 끊임없이 묻고 또 물었다.

2021년 봄을 기다리며

신 찬 인

목 차

신찬인 수필가를 말하다

제 1 부

생각이 머무는 아침

바람과의 대화

한 해를 마무리하는 것은 또 한 해를 시작하는 것과 다름없다. 그렇게 끝과 시작은 이어져 있다. 나무의 줄기가 하늘을 향해 오를 때 뿌리는 땅속으로 길을 잡지만, 그 또한 한 줄이 되어 하늘과 땅을 이어 준다. 그러고 보면 새로운 한 해를 맞이하는 것에 연연하지 말고, 시간이 가면 가는 대로 물이 흐르면 흐르는 대로 살아야 할 일이다. 그럼에도 새해를 맞이하면서 무언가 의미를 부여하고 싶은 것은 아직도 걸어야 할 길이 더 있기 때문인지도 모른다.

새해를 맞이하여 충북 영동군에 있는 반야사 둘레길을 다시 찾았다. 이 길은 반야사를 안고 흐르는 석천(구수천이라고도 함)을 따라 걷는 길이다. 물길은 속리산에서 발원하여 상주 땅 모동면을 지나 백화산 자락의 반야사에 이른다. 반야사를 지나면서 흐름이 완만해지고 월류봉 인근의 초강천에 안기면서 제법 강다운 면모를 보이다가 금강에 합류한다.

곡선의 물길은 순하고 수량이 풍부하다. 서두르지 않고 다소곳이 흐르는 것이 단아하고 기품 있는 여인을 대하는 듯해 마음이 끌렸었다. 지난번 올 때는 월류봉에서 시작하여 반야사까지 물길을 거슬러 올라 걸었는데, 이번에는 반대로 반야사에서 시작하여 물길을 따라 내려갔다.

젊은 시절에는 높은 산에 오르는 걸 즐겼다. 배낭을 짊어지고 가파른 등산로를 땅만 보며 걸었다. 주변의 경관은 아랑곳하지 않고 오직 산의 정상에 오른다는 목표만이 있었다. 그러곤 정상에 올라 산 아래를 바라보며 포만감에 젖곤 했다. 그런데 이제 나이가 들어서인지 높은 산을 오르는 것보다 가볍게 트래킹 하는 게 더 좋다. 주변의 경관도 살피고 나무 그늘에서 한가롭게 쉬기도 하면서, 낯모르는 사람과 말문을 트기도 한다. 가다가 힘들면 되돌아오기도 한다.

과연 어떻게 사는 것이 행복한 걸까? 그저 목표를 정해 놓고 거기까지 쉼 없이 가는 걸까? 그래야 한다고 생각했다. 하지만 이제는 목표보다는 과정에 충실해지고 싶다. 물이 흐르듯 순리를 좇아 발길을 옮겨 보리라. 이 또한 즐겁지 않겠는가?

겨울의 한가운데인지라 주위는 정적만이 감돈다. 성에가 낀 농가의 창은 굳게 닫혀 있고, 길을 나선 사람을 볼 수 없다. 석천은 두텁게 얼어 있고, 가지만 앙상한 나무는 침묵하는 하늘을 향해 말없이 서 있다. 하늘과 나무와 강을 천천히 바라본다. 하늘은 말없이 철새가 가는 길을 열어 주고, 나무는 묵묵히 산을 지키고, 얼어붙은 강 아래로 물은 시간을 밀어내며 쉼 없이 흐른다. 침묵하지만 모두 무언가 자신의 역할을 하고 있다.

그동안 얼마나 호들갑스럽게 살아왔는가? 자신을 포장하고 터무니없는 색깔을 입히려고 무던히도 애쓰지 않았던가? 이제는 아집과 편견, 가식에서 벗어나 말없이 자신의 길을 가보자. 이 또한 아름답지 않겠는가?

반야사에서 시작된 길은 내내 석천과 한 몸이 되어 어우러진다. 석천이 곡선을 만들면 길도 곡선이 되고, 석천이 잠시 머무르면 길도 휴식할 곳을 마련해 준다. 길은 석천을 몇 번인가 가로지르며 돌다리를 건너긴 하지만 결코 석천을 멀리 벗어나지 않는다. 그리고 길을 따라 넓지 않은 들녘이 있고, 들녘을 벗어나면 야트막한 산길로 접어든다. 물이 굽이치면 길도 굽이치고, 들이 들어서면 산이 자리를 비워 주었다가, 들이 자리를 내주면 다시 산이 다가오곤 한다. 물길과 둘레길, 산과 들이 조화를 이루며 아름다운 풍광을 만들어 주고 있다.

나는 가끔 세상에 홀로 남겨져 있는 것 같은 외로움에 빠질 때가 있다. 그럴 때면 길 잃은 아이처럼 누군가 다가와 내 손을 잡아 주면 좋겠다고 생각한다. 그 누군가도 외로워 내가 다가가 손잡아 주기를 바라는 것은 아닐까? 석천과 길, 산과 들이 서로 어우러지는 것처럼, 그들과 내가 함께 손잡고 어우러져 아름다운 세상을 만들 수 있다면, 이 또한 행복하지 않겠는가?

반야사에서 옥류봉까지 9㎞의 길을 쉼 없이 불어오는 겨울바람과 대화하며 걸었다. 그래도 어떻게 사는 것이 즐겁고, 아름답고, 행복한 것인지 생각할 수 있어서 길은 따뜻했다. 멀지도 않았다.

달빛 소나타

나는 가구 하나 없는 널찍한 방 한편에 홀로 앉아 있었다. 열려 있는 방문 밖에 누군가 서 있다. 아는 사람인 것 같기도 하고 아닌 것 같기도 하다. 방문이 열려 있으니 그냥 들어와도 될 것 같은데, 그는 선뜻 방안으로 들어서지 않는다. 내 안에 다른 사람이 들어설 공간을 마련해 놓았지만, 누구도 쉽게 들어서지 않는 것은 왜일까?

마음이 답답하고 허전해서였는지 목울대를 넘어오는 갈증을 느끼며 잠에서 깼다. 꿈이었다. 방문밖에 있던 사람은 누구였을까, 왜 들어오지 않았을까? 스멀스멀 밀려오는 외로움에 마음이 허전해진다. 시계를 보니 자정을 조금 넘긴 시간이다. 갈증을 달래려고 주방에 나가 물을 한 컵 들이켰다.

거실은 꿈속에서의 방처럼 어둠 속에 덩그러니 놓여 있었다. 그리고 거기 내가 우두커니 서 있다. 별생각 없이 창가로 가서 밖을 내다보는 순간 '앗'소리가 날 만큼 눈이 번쩍 띄는 광경이 펼쳐졌다. 창밖에서 떨어지는 벚꽃이 바람에 흩날린다. 반짝반짝 팔랑팔랑 이리저리 휩쓸리며 날리는 꽃잎들은 수많은 무용수가 삶을 찬미하는 춤을 추듯이 현란하다. 순간 '아! 떨어지는 것에도 아니 사라져가는 것에도 저런 아름다움이 있구나.' 하는 생각에 갑자기 눈시울이 뜨거워진다. 하늘을 올려다보니 둥그런 보름달이 교교(皎皎)한 달빛을 쏟아낸다. 그러고 보니 꿈결에서 내 방안으로 선뜻 들어서지 않았던 것이 그 보름달이었지 싶다. 은은한 달빛은 그렇게 산화(散花)하는 꽃잎에 스며들며, 나를 깨워 창가로 불러내고 있었다.

며칠 전 대청호 호숫가에 나갔더니 온 천지가 벚꽃이었다. 봄의 절정은 벚꽃의 만개라 해도 지나치지 않다. 매화도 좋고 목련도 좋지만, 그래도 봄의 한가운데서 화려함의 극치를 보여 주는 것은 역시 벚꽃이 활짝 피어 있는 광경이다. 그리고 벚꽃이 지고 나면, 그 화창했던 봄도 속절없이 가고 만다.

대청호 호수 위로 꽃잎이 흩날리고 있었다. 설핏 보면 꽃잎은 낙하하는 것이 아니라 비상하는 것 같기도 하다. 영롱한 햇살에 반짝이며 떨어지는 꽃잎을 바라보며 세상에는 슬픔과 아름다움이 함께 할 수 있다는 생각이 들었다. 산그늘과 뭉게구름이 엷게 드리워진 호수 위에 떨어진 꽃잎은 물에 떠다니며 한 폭의 수채화를 그리고 있다. 잔잔한 물결이 일렁일 때마다 그림은 살아 있는 듯 이리저리 아른거리며 또 다른 풍경을 연출한다. 마지막까지 소임을 다하는 그 모습이 아름답다고 할까, 슬프다고 할까? 봄은 그렇게 다양한 모습으로 야위어 가고 있었다.

문득 두보의 시 한 수가 떠올랐다. '꽃잎 한 조각 떨어져도 봄빛이 한 줌 줄거늘, 수만 꽃잎이 바람에 흩날리니 슬픔 어이 견디랴?'

그러고 보면 시인의 마음이나 범부(凡夫)의 마음이나 봄을 보내는 마음은 비슷한가 보다. 사람 사는 게 그저 새봄을 한 번 더 맞이하는 것일지도 모른다. 그래서 봄을 보낼 때면, 아니 벚꽃이 지는 것을 보고 있노라면 또 한 해가 가고 있다는 아쉬움이 들곤 한다.

햇살에 반짝이며 떨어지는 꽃잎이 계곡을 흐르는 맑은 물의 경쾌한 소리 같다면, 달빛에 젖어 너울대는 꽃잎은 조용히 흐르는 강물의 소리처럼 은근하고 조용하다. 그리고 다정다감하다. 창밖을 바라보고 있노라니, 꿈결에 느꼈던 답답함이나 고요한 밤이 주는 공허함은 어느덧 사라지고, 절로 마음이 동하여 아름다운 밤에 한껏 심취된다.

달빛과 꽃잎이 어우러져 바람에 흩날리는 아름다운 광경은 공간에 머물지 않고, 그 순간의 벅찬 감동 또한 영원하지 않을 것이다. 그래도 지금, 이 순간 한 줌의 달빛과 꽃잎이 함께 하는 즐거움을 어디 견주랴.

모두가 잠들어 있는 적막한 시간, 달빛에 젖어 드는 꽃잎의 날갯짓을 보며 문득 베토벤의 '월광 소나타'를 듣고 싶어진다. 조용하고 느릿하며 묵직한 선율이 거실에 촉촉이 젖어 든다. 달빛과 꽃잎과 월광 소나타가 있는 아름다운 밤, 행복은 찾아 나서는 것이 아니라 눈앞에 있는 것을 발견하는 것이라 했다지….

이발소 탈출기

이발소에 들어섰다. 이른 시간이어서인지 아직 잠이 덜 깬 듯 게슴츠레한 표정의 남자가 맞이한다. "앉으셔유!" 툭 내뱉는 주인의 말에, 말 잘 듣는 아이처럼 다소곳이 의자에 앉았다. 하얀 가운을 두른 초로의 남자가 거울 속에 있다. 작은 눈과 큰 코, 약간 튀어나온 입, 융통성이 없어 보이는 인상이다. 그런데 언제부터인가 앞머리가 휑하여지면서 슬그머니 이마로 합쳐지는 바람에 이마 하나만큼은 시원한 얼굴로 변했다.

긴장된 표정이다. 잠이 덜 깬 이발사의 솜씨를 믿지 못해서일까? 생각해보면 이발사에게만큼 온전히 내 명줄을 맡겨본 일도 없는 것 같다. 뾰족한 가위를 들고 머릿속을 맘껏 헤집고 다니고 예리한 면도칼을 목에 들이대도 그저 눈을 감고 있으니 말이다. 그러니 올 때마다 조금은 초조해지는 것이 전혀 이상한 일은 아니다. 이발사가 가위를 놀린다. 사각사각, 귓등으로 들리는 경쾌한 가위질 소리에 어느새 긴장감은 멀리 사라진다.

거울 속으로 일곱 평 남짓한 이발소의 풍경이 보인다. 앉아 있는 의자 뒤쪽 벽에 액자 두 개가 걸려 있다. 한 액자에서는 시리도록 파란 하늘을 배경으로 눈이 하얗게 쌓인 백두산 천지가 겨울에 갇혀 있고, 그 옆에 있는 액자에서는 철쭉꽃이 활짝 피어 있는 계곡으로 하얀 물거품을 일으키며 봄이 시원스레 흐르고 있다. 겨울과 봄이 나란히 있는데도 어색하지 않고 웅장한 산과 아기자기한 계곡이 잘 어우러진다. 의자 옆의 작은 어항 속에서는 조그만 물고기 거피가 수초 사이를 오가며 노닌다. 물레가 돌며 뽀글뽀글 산소를 공급해 주는 소리가 가느다랗게 들린다.

예나 지금이나 이발소 가는 일이 불편하기는 마찬가지다. 하얀 가운을 걸치고 의자에 앉아 있을 때마다 벌떡 일어나 뛰쳐나가고 싶은 충동이 일곤 한다. 일어 설 수도, 뛰쳐나갈 수도, 고개를 마음대로 움직일 수도 없는 상황에 강박감이 든다. 의자에 꼼짝 못 하고 붙잡혀 있는 것이 나로선 고문당하는 시간이다. 그럴 때면 연탄난로 위에 있는 주전자에서 연신 뿜어져 나오는 하얀 수증기와 주전자 뚜껑 딸각거리는 소리를 들으며 시간을 보내곤 한다. 그래서 한 달에 한 번 이발하러 가는 일은 거북한 의식을 치르는 일처럼 번거롭기만 하다.

이발소는 좁고 옹색하다. 그 좁은 곳에 화분, 난로, 옷걸이가 빽빽하게 놓여 있다. 나는 이발을 하는 동안 사람이 감옥에 갇혀 있을 때의 심정을 생각하곤 한다. 1시간 남짓한 시간이지만 느끼는 구속감이 감옥에 갇혀 있는 사람의 마음과 비슷할 것 같아서다.

언젠가 관 속에 들어가 죽음을 체험해 본 사람의 이야기를 들은 적이 있다. 관 속에 들어가 있으니 그동안 살아오면서 있었던 일들이 하나하나 떠오르며, 좀 더 너그럽고 지혜롭게 살아오지 못한 것을 후회하게 되더란다. 누구나 죽음 앞에서는 모든 것을 내려놓고 겸허해지기 마련이다. 그렇게 죽음을 체험함으로써, 살아가면서 보다 인간답게 살고자 하는 깊이 있는 자기성찰을 하게 되었단다. 관 속은 아니지만 나 또한 이발하는 동안 자유의 소중함을 체험하곤 한다. 살면서 자신의 생각이나 행동을 얼마나 많이 제약했는지, 또 내 생각에 빠져 다른 사람을 불편하게 하지는 않았는지를 되돌아본다.

덥수룩한 머리가 잘려 나가면서 단정한 모습으로 변해 가고 있다. 내 머리의 스타일은 수십 년간 늘 똑같다. 약간 곱슬곱슬한 짧은 머리에 머리숱이 적어서 그런지 착 가라앉는다. 그래도 거기에 조금이라도 포인트를 준답시고 앞머리를 살짝 세워주고 오른쪽으로 가르마를 타준다. 그런다고 해서 인상이 크게 달라지는 건 아니다. 하지만 공을 들인 만큼 나름대로 단정하고 차분한 이미지를 준다. 머리 스타일처럼 내 생활도 큰 변화가 없이 차분하지만 조금은 고리타분했던 것 같다. 성격이 크게 모나지 않고 모험을 하는 것도 익숙하지 않아 늘 틀에 박힌 생활에서 벗어나지 못했다.

퇴직 후 비로소 자유인이 되어 지난날을 돌아보니 참 옹색하고 갑갑한 삶이었음을 부정할 수 없다. 굳이 내 나름대로 울타리를 쳐놓고 그곳을 벗어나지 않으려고 몸부림친 것은 아니었을까 하는 생각도 든다. 그렇다면 그것은 나 스스로 만들어 놓은 감옥이었을 게다. 다른 사람이 만들어 준 감옥이었다면 강한 거부반응을 보였을 것이 자명하다. 그러나 스스로 만들어 놓은 감옥이기에 자신도 모르게 익숙해져 있었나 보다.

몇 년 전 뉴질랜드 '캔터베리'평원을 지난 적이 있다. 가도 가도 파란 하늘과 끝없는 초원만 보였다. 한가롭게 풀을 뜯고 있는 방목한 소 떼를 보면서 축복 받은 땅이라는 생각이 들었다. 그런데 차는 숨 가쁘게 달려가는 데 비슷한 풍경이 계속되다 보니, 여전히 초원에 머물러 있는 거다. 시간이 갈수록 조금씩 지루해지고 답답해졌다. 그때 문득 햇살이 창살처럼 내리비치는 평원을 보며 이 드넓은 초원이 감옥 같다는 생각을 했다. 공간이 좁아서 감옥이 아니고 아무리 넓어도 그곳을 벗어나지 못하여 새로운 세상으로 나갈 수 없다면 그곳이 감옥 아니겠는가.

이발소에는 조용한 음악이 흐른다. 순서를 기다리는 사람들이 신문을 뒤적이고 있다. 얼굴을 스치는 면도날의 부드러운 감촉을 느끼며 나른한 졸음에 빠져들려는 순간, 지루했던지 이발사가 한마디 툭 던진다. "세상이 이래서 되겠어요?" 하면서 어수선한 시국을 작은 공간에 던져 놓는다. 기다렸다는 듯이 이발을 하러 온 사람들이 한마디씩 한다.

좁은 공간은 어느덧 열띤 토론장으로 바뀌고 있었다. 하릴없이 신문을 뒤적이던 사람들이 좋은 먹잇감이 생긴 듯 언성을 높이기 시작했다. 세상을 보는 시각이 다른 만큼 서로의 의견이 다를 수 있겠지만, 지금 이 공간에서는 서로에 대한 배려라고는 찾아볼 수 없다. 이발소의 평화로운 아침은 깨졌다. 졸음은 저만치 달아났다. 난무하는 비수처럼 독설이 사방에 꽂히고 있다.

어떻게 해서든 이 소음이 가득한 공간으로부터 빨리 빠져나가고 싶다는 강박증이 몰려왔다. 하지만 어쩔 수 없다. 듣지 않으려 해도 좁은 공간을 채워가는 소음에서 벗어날 수 없는 이곳이 별수 없이 정신적 고문을 당하는 감옥과도 같았다. 어떻게 하면 이곳을 감옥으로 여기지 않고 자유로워질 수 있을까? 순간 작은 어항 속에 갇혀 있는 거피가 보였다. 거피는 넓은 바다에서 노닐 듯 수초 사이를 여유 있게 오가며 자유롭게 유영하고 있다. 작은 어항이 거피에게는 바다처럼 넓은 공간으로 이용되고 있었다.

물레바퀴 옆 작은 구멍에서는 여전히 뽀글뽀글 물거품이 올라오고 있지만, 열띤 토론 때문에 소리는 들리지 않는다. 물거품 소리를 찾아야 한다. 그것만이 이 감옥 같은 현실에서 도피하는 길이다. 현장으로부터의 도망이 아닌, 주어진 상황에서 자유를 찾아야 하는 거다.

공기가 뿜어내는 소리에 집중해 보았다. 뽀글뽀글…. 들린다. 귀를 열고 집중하자 뽀글뽀글 어항에서 나는 소리가 선명하게 들리는 것 같다. 거울 속에 있는 사진을 바라보았다. 꽁꽁 언 백두산 천지의 얼음 밑에서 흘러나온 물줄기가 계곡으로 흘러들어 봄꽃을 피워내고 있었다. 계곡에서는 물 흐르는 소리가 시원하게 들려온다. 생각의 자유를 얻으면서 소음이 가득한 감옥 같은 공간으로부터 탈출한 것이다.

나는 "와! 자유다!"라고 소리치며, 계곡물 속으로 풍덩 뛰어들었다.

어둠 예찬

언제부터인가 새벽이면 종종 잠을 깨곤 한다. 무언가 마음에 고여 있는 것이 있을 때는 더 그런 것 같다. 아쉬움일까, 불안함일까, 그리움일까? 그럴 때면 창가에 앉아 하늘을 바라본다. 어둠이 짙게 깔린 사위는 모든 것이 멈춘 듯 고요하기만 하다. 아파트 아래 낮게 엎드려 있는 동네에서는 초점을 잃은 가로등만이 애써 빛을 발하고 있다. 저만치 웅크리고 있는 매봉산은 짙은 어둠으로 산자락과 하늘의 경계를 알 수 없는데, 그럴 때면 내 의식 또한 비몽사몽으로 현실과 상상의 경계가 모호해진다. 잠 못 이루는 밤, 나는 종종 한치 앞을 볼 수 없는 절벽과도 같은 어둠 속에서 많은 교훈을 얻는다.

한밤중에 멀리 희미하게 빛을 잃어가는 작은 별이라도 만나면 인적이 없는 깊은 산속에서 길을 잃고 헤매다 누군가를 만난 것처럼 반갑기만 하다. 어쩌다 휘영청 밝은 보름달을 만날 때면 달빛에 취해 가슴이 두근거린다. 하지만 초승달마저 보이지 않는 칠흑

같이 어두운 하늘을 바라보는 것도 나쁘지는 않다. 백치같이 텅 빈 머릿속에 무언가를 하나씩 하나씩 채워 넣는 것은, 바람마저 잠든 사막에 나무를 심고 꽃을 피우는 것처럼 참으로 즐거운 일이기 때문이다.

어둠은 모든 것을 포용하여 하나로 만들어 준다. 어둠 속에서는 크고 작음도, 길고 짧음도, 높고 낮음도 없다. 어둠 속에서는 화려한 비단옷을 입고 있어도 알 수가 없다. 잘나고 못나고 아등바등 살아가는 모든 것이 똑 같이 검을 뿐이다.

밝은 곳에서는 시시콜콜 모든 것을 세세하게 규명하려 하지만, 어둠은 세상의 모든 것을 차별 없이 넉넉하게 품어 준다. 우리들은 서로 모양이 달라서, 색깔이 달라서, 생각이 달라서 서로를 구분하고 편을 가르기 일쑤다. 작고 소소한 서로의 다름을 모르는 척 눈감아 주고, 서로를 인정하며 살아갈 수는 없는 걸까?

어둠은 우리에게 겸손해 지라고, 다른 것들을 배려하라고 이야기한다. 밝은 곳에서는 어두운 곳이 잘 보이지 않지만, 어두운 곳에서는 밝은 곳을 잘 볼 수 있다. 어둠은 나를 감추어서 다른 것을 드러나게 한다. 별이 빛나는 것도 달이 교교한 것도 어둠이 만들어 주는 아름다운 선물이다. 밝은 곳에서는 어두운 곳의 사정을 잘 알 수 없다.

살면서 자신의 능력과 성공에 취해 다른 사람들의 노력과 희생을 간과하는 경우가 종종 있다. 우리는 살면서 스스로의 빛남을 과시하고 즐기면서, 다른 사람의 빛남을 축복해 주고 아픔을 보듬는데 인색한 것은 아닐까?

어두운 밤은 우리에게 편안한 휴식을 안겨 준다. 누구나 지치고 힘들 때면 암울한 현실에서 벗어나고 싶어진다. 낮 동안의 힘겨웠던 노동, 숨 가쁘게 돌아가던 긴장감, 가슴 아리게 했던 시련과 좌절에서 놓여나고 싶어진다. 어둠은 인간사 크고 작은 일들을 일단 접어 두고 모두를 잠들게 하는 마력이 있다. 휴면을 통해 잠시나마 고통과 번뇌, 끝없는 욕망과 마음의 격정을 일단 내려놓게 한다. 그렇게 우리는 휴식을 통해 다시 일어 설 수 있는 힘과 용기를 얻기도 하고, 세상을 또 다른 시각으로 보는 여유를 갖는 것은 아닐까?

어둠은 우리를 사유하게 한다. 어둠 속에서 느끼는 정적과 편안함은 우리들의 생각을 활발하게 한다. 아득한 정적 속에서 평소 듣지 못했던 아주 작은 소리를 듣기도 하고, 칠흑 같은 어둠 속에서 보이지 않는 것을 보기도 한다. 어둠 속에서 우리의 생각은 수없이 많은 것을 만들어 내기도 하고 없애 버리기도 한다. 어둠은 우리를 상상의 넓은 바다로 이끈다. 그 상상을 통해 우리는 꿈을 꾸고 희망을 갖게 되는 것은 아닐까?

어둠의 또 다른 미덕은 순리를 지향하는 것이다. 사람들이 적당한 휴식을 취하고 활동해야 할 시간이 돌아오면, 미련 없이 자신의 자리를 내어 주지 않던가. 우리는 종종 작은 욕심 때문에, 아직은 내가 해야 할 일이 더 있다는 착각 때문에 떠나야 할 때를 놓치곤 한다. 도덕경에 이르되 '만족할 줄 알면 욕되지 않고, 그칠 줄 알면 위태롭지 않다.'고 한다. 우리 또한 물러나야 할 때를 알아야 아름다운 뒷모습을 보일 수 있지 않을까?

사람들은 어둠 하면 왠지 공포, 죽음, 악마와 같이 부정적인 이미지를 많이 떠올린다. 어둠의 자식, 어둠과의 전쟁 등 어둠이란 단어는 물리쳐 없애야 하는 척결의 대상으로 사용되기도 한다. 그러나 어둠 속에서 삶을 성찰해 본 사람이라면 어둠이 주는 아름다운 선물에 마음이 숙연해지고는 한다.

밤은 더욱 깊어 가고, 이 밤이 가면 또 다른 아침이 온다. 좀 더 아름다운 아침을 맞이하기 위해 나는 오늘도 이 밤을 맘껏 즐긴다.

키스 더 레인(Kiss The Rain)

계절은 입동을 지나 겨울로 치닫는다. 메말라가는 단풍잎 위로 얄궂은 가을비가 추적추적 내린다. 늦가을의 조락을 재촉하는 궂은비이다.

봄에 내리는 비는 해동하는 대지에 스며서 생명을 움트게 하는 설렘이 있다. 봄비는 찬 기운이 서렸지만, 겨울비처럼 뼛속으로 스미지 않는다. 식어가는 혈관을 타고 흘러 시들어가는 생명에 생기를 북돋운다.

여름에 내리는 비는 차고 넘쳐서 만물을 꿈틀거리게 하는 주체할 수 없는 힘이 있다. 여름비는 격렬하기도 하고 거침없기도 하다. 이리저리, 구불구불 없는 물길을 만들기도 하고, 거추장스럽고 걸리적거리는 것을 사정없이 휩쓸고 지나간다. 세상을 깨끗하게도 하고, 흔적도 없이 소멸시키기도 한다.

곱게 물든 나뭇잎을 촉촉이 적시는 가을비는 잎으로 스미지도, 개울로 흐르지도 않는다. 가을에 내리는 비는 혹독한 겨울을 준비하는 나무의 뿌리를 향한다. 겨울의 문턱에 들어서면 나무는 잎새를 떨구고, 뿌리는 줄기와 가지로부터 수분을 내려받는다. 그러고는 겨우내 그것을 조금씩 소모하면서 추위를 견딘다.

그래서인지 가을비가 내리면 아쉬움과 그리움, 간절함이라는 형용사가 한꺼번에 떠밀려온다. 어쩌면 가을에 내리는 비는 대지를 적셔주는 비도, 나무에 내리는 비도 아니다. 가을걷이를 마친 들녘에 홀로 서 있는 사람의 마음에 내리는 비다. 가을비가 내리면 아름다운 계절이 속절없이 가고 있다는 아쉬움과 지나온 시간에 대한 그리움과 조금만 더 이 아름다운 순간을 붙잡아 두고 싶은 간절함이 밀려온다. 비는 그렇게 계절에 따라 색다른 느낌으로 다가온다.

피아노 앞에 앉았다. 선생님으로부터'Kiss The Rain'이라는 곡을 받아 연습하는 중이다. 오늘같이 가을비가 은근히 내리는 날 어울리는 곡이다. 이 곡은 피아니스트'이루마'가 비를 맞으며 걷다가 불현듯 떠오른 악상을 곡으로 만들었다고 한다. 처음 CD로 피아노 연주를 들었을 때, 왠지 금방 마음에 와닿았던 곡이다.

학창시절 가끔 비를 맞으며 걸은 적이 있다. 알 수 없는 미래에 대한 불안, 이상과 현실 사이에서 이유 없는 분노가 끓어오를 때면 비를 맞으며 걷고는 했다. 비가 몸을 적시고 마음 깊숙한 곳까지 촉촉이 스며들면 불안과 분노가 조금은 잦아들곤 했다.

피아노 연습을 하면서 비를 맞고 젖어 드는 느낌을 생각해보았다. 세월이 흘러 환경과 생각이 달라졌으니 선뜻 예전의 느낌이 되살아나지 않는다. 그래선지 연주도 생각 밖을 맴돈다. 음과 음은 단절되고 마디와 마디 사이에 강약이 명료하지 못하다. 곡의 느낌을 살리지 못하니, 그저 무미건조하게 건반을 두드리고 있을 뿐이다.

선생님은 음악이 주는 이미지가 제대로 표현되지 않고 있다며, 비를 맞을 때의 느낌을 생각해보란다. 그 느낌은 '톡톡' 튀거나 격렬하지 않으면서, 차분하고 간절해야 한단다. 이왕이면 빗속에서의 키스(Kiss In The Rain)를 상상해 보는 것도 좋겠다고 한다. 짜릿함보다는 아리고 그리운 느낌이 살아나도록 연주해보란다.

비에 젖어, 아리고 그리운 느낌을 상상해 본다. 그 비는 봄비일까, 여름비일까, 아니면 가을비일까? 비가 내리는 곳은 어디일까? 녹음이 짙은 숲속의 오솔길일까, 파도가 일렁이는 바닷가일까, 가로등 불빛이 아련한 공원일까? 많은 생각이 오간다. 비 오는 날 연인들의 마음은 어떤 걸까. 그들은 왜 비를 맞으며 입맞춤을 하는 걸까. 우산을 걷어치워야 할 만큼 다급하고 격정적인 만남이었을까, 메말라가는 입술을 빗물로 숨기고 싶었던 것은 아닐까? 감정에 몰입해 본다.

카키색 바바리를 입은 중년의 남자가 가을비 내리는 고즈넉한 공원을 서성인다. 곱게 물든 단풍잎이 빗물에 젖어 붉은빛이 더욱 선명하다. 늦가을의 나뭇잎은 빗물을 흡수하지 못하고 생을 마감할 준비를 한다. 속으로 스미지 못하는 빗물이 나뭇잎을 타고 흘러내린다. 빗물이 어린 단풍잎, 참 곱고 아름답다.

남자는 처연하게 내리는 비를 맞으며 수십 년 전의 기억을 더듬는다. 이루지 못한 사랑의 아픔이 그리움으로 전이될 즈음, 숲 쪽으로 난 오솔길에서 그녀를 발견한다. 그리고 달려가 입을 맞춘다. 두 사람의 얼굴로 흘러내리는 차가운 빗물은 포개진 입술을 적시고, 이별을 예감한 듯 두 사람은 더욱더 뜨겁게 키스를 한다. 계절이 내 의지와 관계없이 오고 가듯이 이별 또한 예고 없이 찾아오는 것, 사랑도 시간도 유한하기에 더욱 소중하지 않던가. 아쉬움과 간절함이 교차하는 가을은 이별을 예감하게 하는 계절이다. 가을에 하는 사랑은 조락을 앞둔 단풍잎처럼 최선을 다하는 간절한 사랑이다.

느리고 조용한 음률이 가을비처럼 흐른다. 음의 높이가 올라갈 때도 한꺼번에 올라가지 않는다. 몇 음절을 이어가면서 올라간다. 내려올 때도 그렇게 서서히 내려온다. 그래서 완만한 언덕을 오르내리듯 정점으로 오르는 데에도 숨 가쁘지 않고, 내려올 때도 서두르지 않는다. 곡선의 리듬을 타고 손가락이 움직이고, 느낌에 따라 몸도 따라 움직인다. 감미롭고 애틋한 선율에 마음이 동화되면서 가을 사랑, 비와의 입맞춤에 촉촉이 젖어 든다. 밖에는 아직도 가을비가 내리고 있다.

그 남자의 쉼터

새벽에 일어나니 비가 오다 그치기를 반복한다. 우산을 쓰고 보강천으로 산책하러 나갔다가, 잠시 비바람을 피하려고, 다리 밑 쉼터로 들어갔다. 하천을 가로지르는 다리 밑의 하상부지는 꽤 넓은 편이지만 그다지 높지 않아 시원하면서도 아늑하다. 다리 밖 하상부지에는 비에 젖은 망초꽃 무리가 민초들의 삶처럼 피어 있다. 밤새 모진 비바람에 시달리고도 줄기를 꼿꼿이 하고 하얀 꽃을 피우고 있는 것이 더없이 대견스럽고 아름답다.

어느덧 빗줄기는 보슬비가 되어 바람에 흩날리고, 밤사이 불어난 개울물은 물결을 일렁이며 빠르게 흐른다. 어디선가 비에 젖은 비둘기 한 마리가 "꾸르륵"하며 슬피 울고 있다.

다리 밑 벤치에는 밤새 먹다 버린 빈 술병과 과자 부스러기로 어질러져 있다. 지난밤 누군가 이 자리에 앉아 있었던 흔적이다. 반 남짓 소주가 담긴 종이컵 하나가 새우깡 봉지 옆에 놓여 있다. 늦은 밤 이 후미진 곳에서 새우깡을 안주 삼아 소주를 마신 사람은 누구일까?

문득 젊은 시절 직장에서 승진 문제로 고민했던 일이 떠올랐다. 승진에서 탈락해 한동안 답답하고 울적한 생활을 했었다. 하루는 밤늦게까지 일을 하다 퇴근하면서 소주 한 병과 쥐포를 들고 아파트 근처의 공원으로 갔다. 그냥 집으로 들어가면 도무지 잠을 이룰 수 없을 것 같아서, 혼자 술을 마시며 스스로를 위로했었다. 실의에 빠져 희미한 달빛을 벗 삼아 마시던 소주 맛도 이제는 아련한 추억이 되었다.

지난밤, 이 다리 밑에서도 누군가 울적한 마음을 달래며 혼자서 술을 마시지 않았을까? 그 사람이 궁금해진다. 그리고 왠지 50대 중반의 남자가 아니었을까 하는 막연한 생각이 들었다.

그 남자는 혼자 술을 마시며 무슨 생각을 했을까? 새우깡의 고소한 맛에 지나온 날들을 회상하며 그리움에 젖었을까. 아니면 사는 게 너무 힘들어 쓰디쓴 소주를 입안에 털어 넣으며 목마른 마음의 갈증을 달래고 있었을까. 그것도 아니면 남겨 둔 소주를 바라보며 아직은 포기할 수 없는 꿈에 집착하고 있었을 것도 같다.

그는 왜 늦은 밤 이곳에서 술을 마시고 있었을까? 그 흔한 카페에 가서 나이 든 마담과 마주 앉아 최백호씨가 부른 '낭만에 대하여'라는 노래라도 들으며 술을 홀짝이지 않고 왜 이곳으로 왔을까? 세월에 찌든 공간에서 듣는 색 바랜 음악 소리보다 풀벌레와 빗소리, 개울물 흐르는 소리가 좋아서였을까. 아니면 천둥과 번개, 비바람이 연출하는 분위기가 각박한 자신의 현실과 더 잘 어울린다고 생각했을 것도 같다. 그때도 잠 못 이룬 비둘기 한 마리 '꾸르륵 꾸르륵' 울며 벗이 되었겠지.

어쩌면 그 남자는 최근에 퇴직한 직장인인지도 모른다. 그래서 사람들이 있는 번거로운 공간보다는 자신을 마음껏 적셔줄 빗줄기와 스스럼없이 가슴을 파고드는 거친 바람이 있는 이곳이 더 잘 어울렸는지도 모른다. 아침에 출근할 때마다 떠밀려 오는 일과 사람에 치여 매일매일 마음속으로 사표를 쓰지 않아도 되는, 이제는 마음껏 자신을 어딘가 내던지고 싶은 그런 사람 말이다. 나도 이제 할 만치 했다고, 더 이상 어쩔 수 없는 걸 어찌하느냐고 몸부림치고 싶은 심정으로 현실에서 벗어나고 싶은 그런 사람일 수도 있다.

아니면 자그마한 점포를 운영하는 자영업자인지도 모른다. 진열된 물건의 먼지를 털다 어쩌다 찾아온 손님이 구경만 하고 나갈 때면, 나이 든 딸년 시집보내지 못해 안타까워하는 그런 사람, 지나는 사람이 상점을 기웃거릴 때마다 물건 사러 오는 손님이 아닐까 반가운 마음에 자신도 모르게 벌떡 일어났다 주저앉는 그런 사람 말이다. 그래서 가슴을 스치는 빈 바람과 마주하고, 맥없이 먼 하늘을 오가는 천둥소리를 듣는 게 너무도 익숙한 그런 사람 아니었을까?

그는 또 왜 그 시간에 혼자서 술을 마시고 있었을까? 젊은 시절 그리도 친하게 지내던 친구들과의 우정이 팍팍해져 가는 것이 안타까워서였을까. 아니면 평생 마주 보며 살갑게 살 수 있을 것 같았던 아내의 딱따구리처럼 쪼아대는 잔소리가 싫어서일까. 그것도 아니면 코도, 입도, 하는 짓도 너무 닮아서 있는 것 없는 것 다 주어도 아깝지 않았던 자신의 분신이기에, 자신이 이루지 못한 꿈을 이루어줄 것이라고 굳게 믿었던 자식들에 대한 실망감 때문일까. 그래서 비에 젖어 우는 비둘기가 차라리 더 친근감 있게 느껴졌으리라.

그는 왜 마시던 술을 남겨 두었을까? 아침에 일어나 겪게 될 속

쓰림이 걱정되어서였을까. 아님 아직은 놓을 수 없는 소중한 삶과 어쩔 수 없이 다시 부닥쳐야 할 세파에 더는 약해져서는 안 되기 때문이었을까. 그에게 살아간다는 것은 상처받으면서도 포기할 수도, 좌절할 수도 없는 끝없이 부닥치며 헤쳐나가야 할 숙명 같은 길이었나 보다.

불현듯 다리가 없어 땅에 내려앉지 못하고, 지친 날개를 퍼덕이며 끝없이 하늘을 날아야 하는 가엾은 새 한 마리가 그 남자의 힘겨운 모습과 겹쳐진다. 이름도 성도 모르는 형체도 분명치 않은, 어쩌면 우리들의 모습일 수도 있는, 한 남자의 모습이 눈가에 아른거린다.

삶에 지친 그 남자의 모습을 지우려 우산을 받쳐 들고 다리 밖으로 나섰다. 다시 굵어진 빗방울이 "후드득후드득" 우산을 때리고, 상념은 빗물이 되어 발아래로 흘러내린다. 들릴 듯 말 듯 꺼져 가는 천둥소리가 그 남자의 잔상과 함께 먼 하늘로 사라져 가고, 종이컵에 남겨진 소주와 빈 새우깡 봉지만이 머릿속을 맴돈다.

생각이 머무는 아침

밤새 창문을 세차게 두드리던 빗방울 소리가 잠잠해진 걸 보니 비도 바람도 잠잠해졌나 보다. 가는 비가 창문을 타고 내리는 그 너머에는 이따금 빗길을 달리는 차량들이 새벽의 정적을 깨우고 있다. 아마 이 시간이면 시골의 촌부들이 고무신에 바지를 둥둥 걷어 올리고 개구리 소리 낭자한 논으로 물꼬를 보러 나갈 시간일 것이다. 어둠이 채 가시지 않은 조금은 이른 시간이지만, 새벽의 유혹을 뿌리치지 못하고 밖으로 나섰다.

가슴에 안기는 시원한 바람, 종아리를 간지럽히는 가는 빗방울이 삶에 포만감을 느끼게 하는 아침이다. 느티나무도 단풍나무도 밤새 불어 닥친 비바람에 시달렸는지 축 처진 나뭇가지에서 빗방울을 뚝뚝 떨어트리며 후줄근하게 서 있다. 키 작은 패랭이꽃, 달맞이꽃, 망초꽃은 비를 흠뻑 머금고 힘겨운 듯 땅바닥에 납작 엎드려 있다. 안쓰러운 마음에 풀잎에 살며시 손을 얹고 손에 와닿는 여린 풀잎의 감촉을 느껴 본다. 모진 비바람을 이겨낸 작은 생명의 떨림이 전해 오는 듯하다. 그들은 비가 개어 햇살이 따사로워지면 그 뿌리를 더욱 튼실히 하고 그 잎을 더욱 푸르게 할 것이다.

빗물이 고인 웅덩이에 발을 담그자 발가락 사이로 생명의 물이 스미며 내 몸의 생기를 더한다. 멀리 산허리를 감싸고 있던 비안개들이 조금씩 허물을 벗으면서 한여름의 녹음이 짙푸른 속살을 드러낸다.

문득 어린 시절 보았던 산이 내게 다가왔다. 어릴 적 내가 살던 양지말에서 바라보면 너른 들판을 지나 저만치에 야트막한 산이 있었다. 우리는 그 산을 밤나무산이라고도 하고, 광태네산이라고도 하고, 헌병대산이라고도 불렀다.

밤나무가 많아서, 아니면 산주의 이름이 광태라서, 일정시대 때 헌병대가 있어서 그렇게 불렀던 듯싶다. 어쨌든 그 산은 그리 높지도 크지도 험하지도 않은 그저 그런 산이었는데, 우리 동네 사람들은 누구나 밤나무가 빼곡히 들어서 있는 그 산을 보며 살았다. 산의 안쪽으로는 공동묘지가 있는데 어른들은 그곳에 가면 백 년 묵은 여우가 있어 아이들을 잡아간다고 해서 우리는 가까이 가기를 꺼렸다.

동구 밖에서 연을 날릴 때면 연의 꼬리가 곧 그 산에 다다를 것처럼 멀리 날고는 했다. 하지만 끊어진 연을 찾으러 들판을 가로지르다 보면, 연은 늘 멀리 가지 못하고 논바닥에 처박혀 있고, 산은 또 저만큼 있었다. 그래서인지 제일 먼저 햇살이 비추어 오고, 검은 구름이 몰려오고, 바람이 불어오는 그 산 너머는 아주 먼 곳처럼 느껴졌고, 늘 동경의 대상이었다.

학교에 다니고 나이가 들면서 좀 더 멀리 있는 산 너머 세상을 알게 되었다. 산 너머에서 수없이 많은 사람을 만났고, 수없이 많은 일을 겪었다. 때론 기쁨에 가슴 벅차 했고, 때론 슬픔에 마음 아파하고, 때론 희망과 좌절 사이에서 번민하기도 했다.

그렇게 지내 온 세월이 소중한 것은 모든 여행이 그렇듯 추억은 아름다운 것이기 때문이다. 이제 멀리 여행을 다녀온 사람처럼 가까이 있는 것이 소중하고 편안한 나이가 된 것 같다. 작고 보잘것없는 것에 정이 가고, 오래된 것에 손길이 가고, 소파에 기대어 나이 들어가는 아내의 모습을 바라보는 것이 편안한 것은 왜일까?

뒤를 돌아다볼 여유도 없이 앞만 보고 살아온 세월이었다. 가족과 이웃들에게 소홀했고, 자신의 진정한 모습조차 모르고 살아온 시간이었다. 비는 이제 완전히 그쳐 푸르고 작은 이파리 끝에 맺힌 빗방울이 아침 햇살에 영롱하게 빛나고 있다. 잠시 후 사라질 작은 빗방울이지만, 그 속에는 자연의 싱그러움도 삶에 애환도 함께 담겨 있는 것 같다. 우리들의 삶 또한 작은 빗방울처럼 잠깐 왔다 사라져 가는 것 아닐까? 바쁘다는 이유로, 나도 힘들다는 이유로 눈여겨보지 않고 소홀히 했던 것들을 생각하게 하는 아침이다.

허리를 굽혀 여리고 가냘픈 풀잎을 바라본다. 비바람에 움츠렸던 매미들이 소리 높여 여름을 노래한다. 마음에 여유를 찾으니 보이지 않던 세상이 보이고 들리지 않던 소리도 들린다. 그리고 가까이 있어서 소중한 줄 몰랐던 사람들, 멀리 있어서 잊혀 가던 사람들이 다시금 내게 다가온다.

이제라도 마음껏 아껴 주자, 마음껏 사랑하자!

서로 아끼고 사랑하기에 내일은 너무 늦을지도 모른다.

제 2 부

바람소리길

은행나무 잎새 하나

선선한 느낌에 홑이불을 끌어당기며 부스스 눈을 떴다. 창밖이 아침노을로 붉게 물들어 있다. 바다 쪽으로 난 창문으로 시원한 바람이 쉴 새 없이 밀려오고, 멀리서 갈매기 한 마리가 창공을 날고 있다. 어제 밤늦게 잠자리에 들면서 바람이 시원해서 에어컨을 끄고 창문을 열어 놓았었다. 올해는 여름인데도 모기가 없는지라, 내친김에 방충망까지 열어젖히고 잠을 잤다.

따스한 홑이불의 질감을 떨치지 못하고 잠시 누워 있다가 바닷가 산책을 하려고 일어났다. 그런데 눈에 낯선 풍경 하나가 들어온다. 작고 파란 은행나무 잎새 하나가 방바닥에 놓여 있다. 순간 '아니 이게 어떻게 여기 있지?'라는 생각에 잠시 생경하면서도 경이로운 분위기에 젖어 들었다. 나무 아래 서면 지천인 것이 나뭇잎인데 내 방안에 들어와 있는 것이, 별다른 느낌으로 다가온다. 마치 낯선 우주 하나가 내 방에 홀연히 날아든 것처럼….

여름의 끝자락에 산과 바다와 하늘이 온통 푸르게 물결치는 청산도엘 왔다. 보리밭과 유채꽃이 한창인 봄이 제철이라는 청산도를 한갓지게 느끼고 싶어서였다. 청산도는 완도에서 뱃길로 오십 분 정도 걸리는 곳에 있다. 한때는 인구가 만이천 명이나 되는 시절이 있었지만, 지금은 이천오백 명밖에 살지 않는다. 이청준 작가의 소설 '남도 사람'을 임권택 감독이 '서편제'라는 영화로 이 섬에서 촬영하면서 많이 알려진 곳이다.

"이년아! 가슴을 칼로 저미는 한이 사무쳐야 소리가 나오는 벱이여! "영화 중 소리꾼 유봉이 딸 송화의 눈을 멀게 하고 말했던 대사가 생생하게 들리는 듯하다. 소리꾼에게 소리란 목숨과도 같은 딸의 눈과 바꿀 만큼 그렇게 절실한 것이었을까? 영화를 보는 내내 감동인지 분노인지 알 수 없는 심히 강렬한 느낌에 전율했었다. 그래서인지 청산도는 내게 딱히 무어라 규정할 수 없는 한(恨)이 서린 이미지로 각인되어 있다.

아침노을로 붉게 물든 바닷가는 조용하고 평화롭다. 달항아리처럼 생긴 포구에는 아직은 이른 시간인지라 사람들이 보이지 않는다. 동네 뒤편으로는 야트막한 산이 포근하고 아늑하게 에워싸고 있다. 포구에는 어선 몇 척이 잔물결에 몸을 맡기고 한가롭게 흔들리고 있다. 갈매기들이 "꾸억, 꾸억"알 수 없는 소리를 내며 바다 위를 낮게 날고 있다.

바다 쪽으로 나아가 갯마을로 들어서니 오래된 가옥들이 좁은 골목길을 사이에 두고 옹기종기 모여 있다. 수백 년 동안 바다를 터전으로 고기잡이를 하며 어렵게 살아온 어민들의 체취가 물씬 묻어난다. 골목길 양쪽의 가옥과 담장에는 익살스러운 그림들이 그려져 있다. 곤궁한 살림의 민낯을 가리기 위함이지 싶다.

갈매기 소리를 뒤로하고 비탈진 언덕길을 올랐다. 언덕길 양쪽의 다랑이논에는 새벽이슬을 담뿍 머금은 풀만 무성하고, 풀 섶에서는 이름 모를 풀벌레 소리가 요란하다. 서편제 영화가 준 이미지 때문인지 갈매기 울음도 풀벌레 소리도, 오늘은 송화의 한을 전하는 것처럼 애절하게 들린다.

세상의 모든 것들은 다 있어야 할 이유가 있고, 또 있어야 할 자리에 있다. 그리고 그들 나름대로 역할을 하며 일생을 보낸다. 그런데 왜 하루살이는 하루밖에 살지 못하고, 매미는 7년간 땅속에 있다가 세상 밖으로 나와 보름밖에 살지 못하는 걸까? 풀벌레가 밤새워 울어대고 갈매기가 바다 위를 날며 우는 이유는 무엇일까? 아침에 방바닥에 날아든, 다 자라지도 못하고 생을 마감하는 작고 파란 은행나무 잎은 또 어떤 의미일까? 자꾸만 생각이 깊어진다.

하루살이가 하루밖에 살지 못하는 것이 인간으로 하여금 하루의 삶이 얼마나 소중한지를 생각하라는 뜻이 있다면, 매미가 7년간 땅속에 있다가 세상 밖에 나와 보름밖에 살지 못하는 것은, 한 가지 꿈을 이루기 위해서는 오랜 인고의 세월과 노력이 필요하다는 가르침이 아닐까? 풀벌레와 갈매기가 서로 알지 못할 소리로 밤새워 목 놓아 우는 것은, 이해가 다르고 생각이 다른 이질적인 존재들끼리도, 서로 어우러져 이해하려고 노력하며 조화롭게 살아가야 한다는 깨우침이 아닐까? 그렇게 세상의 모든 일에는 나름대로 존재의 이유가 있는 것이 아닐까?

그렇다면 송화에게 주어진 삶은 무엇이었을까? 이런저런 생각을 하며 비탈길을 오르니 서편제를 촬영했던 장소가 나온다. 한 맺힌 송화의 노랫가락이 또다시 들리는 듯하다. 송화는 노래하면서 행복했을까? 가슴속에 한이 심겨 있어야 좋은 소리를 낼 수 있다며 눈을 멀게 한 아버지를 원망하지는 않았을까? 소경이 되어 불편한 몸으로 평생 소리만 하며 살았을 송화로 인하여 마음이 짠하다.

문득 '사람의 한이라는 것이 심어주려 해서 심어지는 것이 아닌 걸세, 한평생을 살아가면서 긴긴 세월 동안 먼지처럼 쌓여 생기는 것이라네. 여자가 제 아비를 용서하지 못했다면, 그건 바로 원한이지 소리를 위한 한은 될 수가 없었을 거 아닌가. 아비를 용서했기에 그 여자에겐 비로소 한이 더욱 깊었을 것이고'라는 서편제의 한 대사가 떠올랐다.

어디선가 학처럼 바닷가를 훨훨 날며 부르는 송화의 한 맺힌 노랫가락이 바람결에 들려오는 듯하다. 그런데 알 수 없는 일은 '그깟 소리 때문에 딸의 눈을 멀게 하다니' 하면서 모진 아버지에게 가졌던 분노가 바닷물에 소금 녹듯 사라지면서 막연하나마 이해할 수도 있을 것 같아진다. 송화도 유봉도 세상을 살아가는 나름의 이유와 역할이 있었으리라.

바닷바람이 시원하게 불어오는 아침의 이 너그러움은 도대체 어디서 온 걸까? 그것은 아마 우연히 숙소에 날아든 작고 파란 은행나무 잎새 하나가 나를 낯선 생각으로 이끌면서 찾아온, 용서라는 값진 선물인지도 모른다.

바람소리길

하늘은 맑고 햇살은 따스하다. 향기로운 봄바람에 아직 여리기만 한 연둣빛 나뭇잎이 이리저리 뒤치며, 부드러운 햇살을 온몸으로 받고 있다. 봄꽃들은 앞서거니 뒤서거니 꽃망울을 터트리고, 이름을 알 수 없는 새의 지저귐이 낭랑하게 숲에 울려 퍼진다. 무언가 현실을 외면하고 싶을 때면, 세속의 굴레에서 벗어나 오염되지 않은 숲속으로 풍덩 뛰어들고 싶은 충동이 인다. 그곳에 가면 오롯이 나만의 생각과 자유가 있다. 가슴 깊이 스미는 푸릇한 풀잎의 향기를 음미하며 그렇게 바람소리길로 접어들었다.

'좌구산' 산자락에 바람이 분다. 솔가지 사이로 봄바람이 분다. 이 바람은 태곳적부터 불던 바람이다. 때론 산들바람으로, 때론 거친 비바람이 되어 저 멀리 강을 건넜다. 아득한 들녘을 지나, 굽이굽이 산등성이를 넘어온 바람이다. 바람은 구름을 몰고 와 비를 뿌려 주었고, 씨앗을 날라 와 대지에 골고루 싹을 틔우게 했다.

바람은 한곳에 머무르지 않았다. 바람은 언제나 많은 소식을 전해 주고 또 다른 곳으로 떠나곤 했다. 고리채에 시달리다 머슴이 된 돌쇠 이야기, 건넛마을 삼돌이와 사월이 정분난 이야기, 전쟁 통에 부역 끌려가 생사의 고비를 넘긴 박영감 이야기, 김씨네 작은 아들 면서기 되었다는 이야기를 싣고 산과 들과 강을 내달렸다. 그렇게 가슴을 두근거리게 했던 기쁨, 가슴을 치며 절망하게 했던 아픔, 달콤했던 사랑 이야기도 바람에 실려 왔다가 시간과 함께 이내 사라지곤 했다.

철갑처럼 두른 노송의 굵은 주름위로 따스한 햇살이 스민다. 청설모 한 마리 분주하게 그루터기를 타며 늙은 소나무의 아침을 깨운다. 솔잎 한 줌 후드득 떨어지면 소나무 부르르 몸을 떨며 기지개를 켠다. 멀리 산 아래를 굽어보며 수백 년을 살아온 소나무다. 저 산 아래 수없이 많은 사람이 살다 죽었고, 크고 작은 분란이 수없이 많았지만, 오랜 세월 그 많은 사연을 묵묵히 지켜보며 이 산 등성이를 지켜왔다.

때론 고라니 한 마리 나무에 등을 댄 채 잠시 눈을 붙이고, 촐랑대는 날다람쥐들의 놀이터가 되었던 곳이다. 지게 목발에 꽁보리밥 가득 채운 도시락을 매달고 땔나무 하러 온 동네 총각들이 산을 오르다 잠시 쉬어 가던 곳이다. 일찌감치 나무 한 짐 다한 그들은 해거름까지 소나무 밑에 앉아 세상 이야기를 했다. 그들이 직접 보고 들은 이야기도 있지만 대부분 바람결에 전해들은 이야기다. 꼬리가 세 개 달린 여우가 사람을 홀렸다는 황당한 이야기도 있고, 빨래하는 아낙의 종아리를 보고 젖가슴을 보았다는 그럴듯한 거짓말도 있다. 하지만 그 이야기가 사실인지 헛소문인지는 중요하지 않다. 그저 그렇게 시시껄렁한 잡담을 나누는 것으로 그들은 마냥 즐거워했다. 어찌 세상이 진지한 이야기들로만 가득 차기를 바라겠는가? 그 진지한 이야기를 성사시키기 위해 얼마나 많은 사람이 고뇌하고 죽어 갔는가? 세상은 오히려 가볍고 무의미한 일이 있어 굴러가는지도 모른다. 늙은 소나무는 오랜 세월 그렇게 시답잖은 이야기를 묵묵히 들으며 큰 산을 지켜 왔다.

연둣빛 나뭇잎 사이로 흰 뭉게구름이 떠간다. 흐르는 구름은 한곳에 머무르지 않고 일정한 모양 또한 없다. 멈춘 듯 움직이고 움직이는 듯 머물러 있다. 바람의 흐름에 따라 자유롭게 하늘을 떠다니고, 수분의 농도에 따라 색깔 또한 자유롭게 바꾼다. 때론 거대한 산이 되고 때론 봉황이 되어 창공을 주유한다. 내 마음에 산을 담으면 산이 되고, 내 마음에 봉황을 품으면 봉황이 된다. 저 구름처럼 살고 싶다. 좀 더 자유롭고 좀 더 여유 있게 마음 내키는 대로 자신을 놓아두리라. 시간과 관념을 잊고 구름과 내가 하나가 되어 보리라.

숲이 울창한 계곡 사이로 물이 흐른다. 봄비가 넉넉하지 않았던지 소리를 내지 않고 겨우겨우 물길을 트며 흐른다. 그래도 물가엔 노란 민들레가 꽃을 피운다. 쇠비름과 쑥부쟁이가 싹을 틔우고, 솔이끼가 무성하게 자라고 있다. 산에는 벚나무나 참나무처럼 큰 나무도 있지만, 작고 보잘것없는 이름 모를 풀들도 많다. 그들은 부족한 물이지만 조금씩 나누어 뿌리를 적시고 잎을 틔우고 꽃을 피운다. 그리고 그 물을 다 쓰지 않고 산 아래로 흘려보내 들판을 적시고 곡식을 자라게 한다. 나누며 살아가는 자연의 섭리가 참으로 아름답기만 하다.

때론 가뭄이 들어 대지가 목마르고, 때론 홍수가 나서 많은 것을 앗아간 적도 있다. 태풍이 불고 눈보라가 치기도 했다. 그래도 여전히 강과 계곡에는 물이 흐르고, 산과 들에는 나무와 작물들이 강인한 생명을 이어 왔다. 자연은 우리를 버리지 않고 이렇게 모두를 함께 살아가게 한다. 다만 우리에게 자연의 위대함과 그에 순응하며 살아가는 것을 가르칠 뿐이다.

나옹선사의 선시가 바람결에 들려온다. '청산은 나를 보고 말없이 살라 하고, 창공은 나를 보고 티 없이 살라 하네, 사랑도 벗어 놓고 미움도 벗어 놓고, 물같이 바람같이 살다가 가라 하네'

신에이 언덕의 낙조

일본 홋카이도섬을 여행할 때였다. 아름다운 낙조를 볼 수 있는 곳이 있다 하여 찾아갔다. 신에이 언덕에 도착하니 해는 아직도 산마루 위에 높이 솟아 있다. 낙조를 보고 싶은 마음에 서둘러 찾아왔는데, 조금 더 기다려야 시작될 것 같다. 언덕 아래로 끝없이 드넓은 평야가 펼쳐져 있었다. 푸르름으로 가득한 들녘은 양쪽으로 가문비나무와 자작나무숲이 마치 호위무사처럼 에워싸고, 아득히 먼 지평선 끝에는 산과 산이 어깨를 나란히 하여 장성처럼 둘러쳐져 있어 포근하고 아늑하다. 들녘에는 감자와 양파, 열무, 옥수수 등의 작물 위로 여린 햇살이 부챗살처럼 펴져 나가고 있었다.

오늘 하루도 햇살은 참으로 위대했다. 다이세츠잔(대성산)의 짙은 산안개를 말끔히 걷어 내고, 휴화산 중턱의 고산식물들에게 생명의 즐거움을 선사했다. 척박한 대지에 뿌리를 내린 작고 웅크려 있던 생물들이 한 줌의 햇살에 생기를 찾고 온몸으로 환호하지 않던가? 햇살은 산 아래로 내려와 아오이이케 호수를 에메랄드빛으로 반짝이게 하고, 작고 큰 구릉의 곳곳을 누비며 온갖 생명들에게 하루의 성장을 보탰다. 라벤더에게는 순정의 보랏빛을, 샐비어에게는 열정의 빨간빛을 선사했다. 그리고 수확을 앞둔 작물과 과실에게는 열매를 키우고 튼실히 하도록 아낌없이 햇살을 쏟았다.

서쪽 하늘을 바라본다. 파아란 하늘에는 은빛과 검은 구름이 어우러져 마치 담백한 수묵화를 보는 듯하다. 크고 작은 구름이 흩어졌다 모이기를 거듭하면서 태양은 어느덧 서산마루에 닿을 듯 가까워지고 하늘은 온통 붉은빛으로 물들어간다. 강렬한 햇살을 내뿜으며 마주 보기를 거부하던 태양은 이제 부드러운 미소를 띤 양 스스럼없이 내 시선을 받아 준다. 붉은 해는 더욱 커지고 지평선 끝에 흐릿하던 산의 윤곽은 더욱 선명해진다.

산마루를 휘감고 있던 구름이 금빛 날개를 펴고 먼 길 떠날 채비를 할 때, 수묵화처럼 담백하던 하늘은 이제 붉은빛과 어우러져 화려함의 극치를 이루고 있다. 세상의 어떤 수채화가 저보다 더 아름다울 수 있을까. 누구의 붓놀림이라 한들 자연이 채색해 주는 저 아름다움에 비견할 수 있을까. 시시각각 움직이며 모양과 위치를 달리하는 작고 큰 구름으로 하늘은 살아 움직이는 것처럼 생동감이 있다. 대지엔 땅거미가 두텁게 밀려오고 세상의 온갖 생물들은 하루의 성장을 멈추고 숨죽여 저무는 해를 배웅한다. 멀리 기러기 한 마리 서쪽 하늘로 사라져 갈 때 산은 이내 해를 넉넉하게 품어 주었다.

낙조의 아름다움에 취해 잠시 넋을 놓고 있다가 문득 '어두운 밤을 순순히 받아들이지 마세요. 나이 들어서는 타올라서 하루의 끝에 대고 고함을 질러야 해요. 분노하고 분노하세요. 사라져 가는

빛에 대하여'라는 '토마스 딜런'의 시 한 구절이 떠올랐다.

죽음을 앞둔 아버지에게 시인이 읊조렸던 말이다. 인간의 선한 의지는 모든 것이 끝나버릴 것 같은 순간에도 마침내 새로운 돌파구를 찾게 되고, 절망 하나 밖에 남아 있지 않은 절박한 순간에도 희망의 싹을 틔워 낼 수 있다는 메시지를 담고 있다. 신에이 언덕에서 바라본 태양 또한 하루를 마감하면서 절정의 아름다움을 보여 주지 않던가.

우리는 흔히 새해 첫날이면 해맞이를 하겠다고 바닷가를 찾거나 높은 산으로 오른다. 떠오르는 태양의 찬란하고 힘찬 기상을 조금이라도 가까이서 보며 무언가를 소망하기 위해서다. 그 태양처럼 자신들의 삶 또한 활활 타오르기를 기원하는 것이다.

그러나 지는 해를 바라보며 소망을 기원하지는 않는다. 지는 해는 뜨는 해만큼 사람들의 관심을 끌지 못하는 것 같다. 하지만 일몰의 장엄함을 눈여겨보았다면 어찌 일출의 찬란함보다 부족하다 할 수 있겠는가.

우리는 늘 새로운 것을 이루고 더 많은 것을 성취하는 데 집착한다. 하지만 지나온 삶을 반추하고 아름다운 추억들을 되새기는 것도 의미 있는 일이다. 패기와 열정이 넘치는 젊은 시절만이 가치 있는 것은 아닐 것이다. 오랜 세월을 세파에 부닥치고 슬기롭게 극복하며 살아온 장년이나 노년의 삶이 어찌 청년보다 못하다 하겠는가? 그들에게는 오랜 연륜을 통해 체득한 지혜와 수많은 상처 속에 간직한 희생과 배려라는 숭고한 가치가 있지 않은가? 그들에게는 눈부시지는 않지만 모든 것을 포용할 수 있는 겸손함과 넉넉함이 있지 않은가?

신에이 언덕의 장엄한 일몰을 보며 생각한다. 나는 어떻게 물들어갈 것인가, 어떻게 저물어 갈 것인가, 어떻게 내 인생의 여백을 아름답게 채색해 갈 것인가…. 향기로운 바람에 자작나무 잎이 사운 거리고, 풀벌레 소리 아득히 들려오면서 들녘엔 어둠이 살포시 내려앉는다.

공림사의 늦가을

낙영산 기슭의 공림사가 만추(晩秋)에 젖어 있다. 산사에 들어서자 선뜻 다가서는 독경 소리에 걸음을 멈추었다. 스님의 목소리가 참으로 낭랑하다. 깊고 청아한 울림이 경내를 가득 채운다. 대웅전 쪽에서 나오는 그 울림은 스산한 가을바람을 타고 관음전과 삼성각에 머무는 듯하기도 하고, 대웅전 앞 석탑을 감싸고 있는 것 같기도 하다.

그 절절한 소리에 응답이라도 하는 건가. 천년을 살았다는 느티나무의 잔가지가 가늘게 흔들리고, 나뭇가지와 결별한 은행잎이 길 위에서 갈피를 잡지 못하고 이리저리 흩날린다. 독경 소리 끊어질 듯 이어지면, 지난여름 연꽃을 가득 피웠던 연못에 부질없이 잔물결이 인다. 그 소리 더욱 낭랑해질 때면 울림은 산사 뒤에 있는 소나무 숲을 지나 낙영산을 가파르게 오른다.

내가 공림사를 처음 방문한 것이 2000년 여름으로 기억된다. 그해 유월 공림사에서 수행하던 탄성 스님께서 입적하셨고, 다비식

(荼毘式)이 법주사에서 있었다. 우연한 기회에 다비식을 참관하게 되었는데, 그 장대하고 경건한 의식을 보며 살아생전 얼마나 많은 사람들이 탄성 스님을 흠모했는지 알 것 같았다. 다비식을 향하는 만장(輓章) 행렬이 끝없이 이어졌고, 나뭇단에 불을 붙여 화장할 때는 모두 숙연한 마음으로 스님의 입적(入寂)을 배웅했었다.

그 후 마침 등산할 기회가 있어 탄성 스님이 기거하셨던 공림사의 뒷산 낙영산을 찾았었는데, 느티나무 아래 쉬고 있던 젊은 스님을 만나 탄성 스님에 대해 이런저런 얘기를 들었던 기억이 있다. 스님께서는 늘 "무언가에 집착하여 마음자리를 흩트리지 말고, 언제나 마음의 쓰임을 온유하게 하라."는 가르침을 주셨다고 했다. 물 흐르듯 순리를 좇아 살라는 탄성 스님의 그 말씀을 되새기며, 독경 소리가 나는 쪽으로 천천히 발걸음을 옮겼다.

독경 소리는 역시 대웅전에서 나고 있었다. 대웅전 앞에 다가가자 더욱 낭랑하다. 애절하다고 할까, 경건하다고 할까, 장대하다고 할까? 마음을 가라앉히는 듯하다가 휘저어 놓고, 호소하는 듯하다 꾸짖는 듯한 소리가 끊어질 듯 이어진다. '누구실까? 어떤 스님이시기에 저리도 사람의 심금을 울리고 있을까?' 가만히 다가가 열린 문틈으로 안을 들여다보았다.

목탁을 두드리며 독경을 하는 스님 앞에 검은 상복을 입은 사람 몇 명이 무릎을 꿇고 앉아 있다. 자세히 보니 망자를 극락으로 인도하는 길닦음을 하고 있다. 어떤 분이 돌아가신 걸까, 천수를 누리고 돌아가셨을까, 지병이 있었을까? 그래도 자손들이 저리 정성 들여 제례(祭禮)를 올리는 것으로 보아 복 받은 분일 거라는 생각을 하며, 망자의 극락왕생을 축원해 주었다.

부처님께 잠시 고개 숙여 예를 올리고 발길을 돌렸다. 돌계단을 내려서니 이건 또 어찌 된 일인지, 대웅전 앞 불두화에 철 지난 꽃이 피어 있다. 고목이 다된 불두화는 이미 잎을 모두 떨구었는데, 나뭇가지 끝에 불그레한 여린 잎이 몇 가닥 나오고 아주 작은 꽃이 피어 있었다. 작지만 하얀 꽃은 분명 불두화였다.

입동을 앞둔 늦가을에 꽃을 피우다니, 부처님을 늘 가까이서 모시고, 청아한 독경 소리를 듣다 보니 성불(成佛)이라도 한 것인가? 아니면 가시는 망자의 길을 축원해 주기 위해 부처님께서 내리신 선물일까? 불두화의 꽃말이 제행무상(諸行無常) 아니던가? 만약 선물이 맞는다면 부처님께서 망자에게 이 세상 아무 미련 남기지 말고 극락왕생하라는 깨달음으로 내리셨을지도 모른다. 잠시 이런저런 생각이 스쳐 간다.

어떤 죽음이든 죽는다는 건 슬픈 일이다. 언젠가는 다가올 나의 죽음 의식은 어떤 풍경일까. 가족들이 울고 있을까, 비석엔 무슨 말이 새겨져 있을까? 아니 어쩌면 바람 부는 언덕에 올라 유골 가루를 뿌리고 있을지도 모른다. 안면은 없었지만, 누군가의 죽음 의식을 가까이서 접하니, 괜한 상념에 젖으며 마음이 착잡해진다.

우울한 생각을 지우려 하늘을 올려다보았다. 가을 하늘은 구름 한 점 없이 시리도록 파랗다. 하늘을 보고 있자니 울적했던 마음이 조금씩 사라진다. 죽음이란 그리 생소한 것도 멀리 있는 것도 아닌 것을, 인간이라면 누구나 언젠가는 죽는다는 지극히 평범한 사실을 두고 새삼스럽게 우울해할 필요가 있겠는가. 오늘은 만추에 젖은 공림사의 자연을 즐기자. 생각을 돌려 현실로 돌아오니 마음이 한결 편안해진다.

대웅전 앞 목련 나무의 앙상한 가지에는 손가락만 한 꽃봉오리가 단단하게 맺혀 있다. 올겨울이 지나고 봄이 오면, 그 봉오리에서 아름다운 꽃을 피우리라. 설령 그 꽃이 올해 피웠던 꽃은 아닐지라도 목련 나무는 그렇게 해마다 새로운 꽃을 피우고 있지 않던가.

제례가 끝났는지 상복을 입은 유족들이 불당 밖으로 나온다. 손자인 듯싶은 어린아이도 있다. 그 아이가 제례가 지루했던지 밖으로 나오자마자 깔깔거리며 햇살 속으로 뛰어간다. 겨울을 앞둔 공림사의 가을은 고즈넉하게 깊어만 가는데, 천년 된 느티나무는 아무 일도 없었다는 듯 의연히 서 있다.

산골 찻집의 시간

고즈넉한 산골에 작은 찻집이 있다. 인근에 선사유물전시관이 있지만, 오늘따라 방문하는 사람이 없고, 주위에 민가라고는 찾아볼 수 없어 인적이 뚝 끊겼다. 단양군 적성면에 시인 신동문 선생이 절필하고 노후에 살았던 집이 있다고 하여 찾아가는 길이다.

커다란 느티나무 아래 열대여섯 평 남짓한 파란 지붕을 이고 있는 야트막한 찻집은 유월의 짙푸른 녹음 아래 유유히 흐르는 강물처럼 살포시 놓여 있다. 찻집이라고 해야 탁자가 두어 개 있고 작은 비스킷 몇 개와 성에가 잔뜩 낀 냉장고에 아이스크림 몇 개가 전부다. 발라드풍의 조용한 노래가 흘러나오지 않았다면 영업을 하지 않는 줄 알았을 것이다.

손님이 오기를 크게 기대하지 않았던지 텃밭에서 풀을 뽑던 주인 여자가 우리를 보고 손을 툭툭 털며 천천히 다가왔다. 시골 아낙이라기에는 분위기가 세련돼 보인다. 아주머니라고도 할머니라고도 할 수 없는 어중간한 나이의 주인은 손님을 크게 반기지도, 그렇다고 호들갑스러워 불편하게도 하지 않는 묘한 매력이 있다.

느티나무 아래 평상에서는 주인 여자의 남편인 듯한 사람이 밀짚 모자에 얼굴을 묻고 길게 누워 있다.

파아란 하늘과 따스한 햇살, 짙푸른 나뭇잎 사이로 부드러운 바람이 비질하는 남한강변의 찻집에는 묵언 수행을 하는 고승처럼 유장한 시간만이 흐른다. 찻집은 예전에 있던 누옥(陋屋)을 리모델링해서인지 강판으로 된 개량 지붕 아래로 회색 슬레이트가 보이고, 벽을 허물어 내고 짠 넓은 창틀과 매끄러운 목재 사이로 거무스레한 기둥이 세월의 무게를 지탱하며 의연히 버티고 있다. 작지만 소박하고, 새로운 재료로 치장을 했지만, 집안에는 옛 향기가 곳곳에 스며있다.

사람과의 대화가 그리웠던지 주인 여자는 이런저런 이야기를 주섬주섬 꺼내 놓는다. 환갑이 가깝다는 주인 여자는 35년 전 이곳으로 시집을 왔단다. 그리고 십여 년을 농사지으며 살다 아이들 교육을 위해 도시로 나갔고, 몇 년 전 다시 이곳으로 돌아왔단다. 도시에서 들어와 장사하는 사람이라기엔 소박한 미소가 천진스럽다.

산골에서 했던 신혼생활, 아이들과 신동문 선생 댁에 놀러 갔던 일 등 수십 년 전의 일들을 좁은 탁자 위에 늘어놓는다. 산골 생활이 지루하지 않으냐는 물음에 이내 “이곳에 사니 근심 걱정이 없어요.”라고 대답한다.

도시에 살 때는 바쁜 듯 즐거운 듯 사는데도 늘 마음이 허전하고 잡념이 끊이지 않았단다. 사람들 틈에 끼어 같이 웃고 떠들어도 돌아서고 나면 왠지 마음 한구석이 텅 빈 듯 울적했단다. 그런데 지금 이곳에는 자그마한 텃밭과 보잘것없는 찻집밖에 없는데도 아무런 근심 걱정이 없이 편안하단다.

사람이 오면 오는 대로, 바람이 불면 부는 대로, 계절이 가면 가는 대로, 자연과 벗 삼아 그저 하루를 보내고 또 맞이하다 보니, 무위자연(無爲自然)의 도(道)를 저절로 터득한 것이리라. 커피 향기가 희미해질 즈음 찻집을 나섰다. 머릿속엔 시간이 멈춘 찻집의 풍경이 또렷이 남아 떠나지 않는다.

문득 오전에 도담삼봉에서 본 광경이 떠오른다. 광장 한편에 윤기가 흐르는 아름다운 자주색 말 한 필이 손님 태울 수레를 걸머지고 미동도 하지 않은 채 서 있었다. 그리고 울긋불긋한 어릿광대 옷차림에 카우보이모자를 쓴 마부가 꾸벅꾸벅 졸고 있었다. 그 광경을 보며 '말과 마부는 얼마나 오랜 시간 저렇게 하릴없이 시간을 보내고 있었을까.'라는 생각이 들었다. 그들의 소중한 시간이 의미없이 버려지는 것 같아 안타까웠다.

그런데 삶에 겨워 바동거리지 않고 산골에서 아무런 근심 걱정 없이 사는 게 좋다는 찻집 주인의 말을 듣고 보니 이 또한 무위자연이 아니던가. 그래, 꼭 무언가를 해야 한다는 강박관념에 얽매이고, 시간이 아까워 조바심을 내며 살아가는 삶이 진정 행복한 것만은 아닐 것이다. 세월에 순응하며, 있는 그대로의 모습으로 꾸밈없이 살아가는 것도 좋지 않은가.

유유히 흐르는 강물과 자그마한 찻집, 우스꽝스러운 마부의 모습, 그런 풍경이 하나 완성되기까지 얼마나 많은 시간이 흘렀을까? 그 어느 것도 어느 날 갑자기 만들어진 것은 아니리라. 하나의 그림이 완성되기까지, 하나의 노래가 만들어지기까지, 또 한 사람의 삶이 자리 잡기까지 그 속에는 수많은 우여곡절과 고뇌에 가득

찬 시간이 녹아 있으리라. 그러기에 세상에 존재하는 그 어느 것도 맹목적이거나 무의미한 것은 없는 것이다.

강물은 흘러서 바다로 간다. 지나온 내 삶의 시간은 어디쯤 흘러가고 있을까. 내 삶의 흔적들은 어떤 모습으로 켜켜이 쌓여 가고 있을까?

섬처럼 사는 사람들

오후의 가을 햇살이 따사롭다. 안면도 끝에 있는 영목항에서 통통배를 타고 30분 정도 걸려 충남 보령에 있는 장고도에 도착했다. 포구에 도착하니 민박집 주인이 봉고차를 세워 놓고 기다리고 있다. 한여름을 보낸 남자의 얼굴이 유난히 검게 그을려 강인한 바닷사람의 체취가 물씬 풍겨 온다.

방파제 옆에 있는 민박집은 무허가 건물임을 드러내듯 허름하다. 그래서 후미진 외딴섬에 왔다는 인상이 더 짙었나 보다. 여행이란 것이 완벽한 시설에서 편안하게 하는 것도 좋지만, 이렇게 투박하고 조금은 불편하게 느껴질 때 더 정감이 가는 것 같다.

짐을 풀고 주인 남자와 함께 배를 타고 통발을 걷으러 갔다. 우리 일행을 위해 바닷속에 통발을 넣어 두었단다. 통발에서는 우럭, 노래미, 붕장어, 아나고, 꽃게가 한 양동이 남짓 잡혔다. 배에서 내려 선착장에 올라서니 한낮을 뜨겁게 달궜던 해가 수평선 아래로 잠겨 들고 있다. 하늘과 바다가 온통 붉은 빛이다. 거뭇한 어스름이 깃들면서 거친 파도를 가르던 어선들이 포구로 들어오고 조용했던 어촌이 잠시 활기를 띤다. 파도를 타고 서해를 질주하던 바닷바람의 위세가 조금씩 약해지면서, 사정없이 방파제를 두드리던 파도가 뒷걸음질 치고 검은 갯벌이 속살을 드러낸다.

꽃게를 술안주로 하고 바다를 정원 삼아 술잔을 기울였다. 방파제 옆에는 무화과나무가 앙상한 가지를 드러내고 처연히 서 있다. 지난달, 태풍이 이 섬을 강타했을 때 무성했던 잎을 모두 떨구었나 보다. 악착같이 붙잡아 두려던 피붙이를 떠나보내듯 아팠을 나무의 처지를 헤아려 본다. 바다를 향해 서 있는 무화과나무의 삶이 각박하면서도 의연하다. 불어오는 바닷바람을 온몸으로 받아야 했으니 그 삶이 오죽 힘들었으랴. 그래도 수십 년 꿋꿋하게, 보이지 않는 꽃을 피우고 실한 열매를 맺었으니, 이 얼마나 대견스러운 일인가. 오랜 세월 비바람과 맞서 단련된 구불구불 비틀린 회갈색 가지가 모진 역경을 이겨낸 어부의 팔뚝처럼 굳건하다.

인적이 끊긴 바닷가에 별들이 하나, 둘 모습을 드러내고, 구름 사이로 교교한 달빛이 바다 건너편에 외롭게 떠 있는 조그만 섬을 비춘다. 바닷물이 빠지면 하루에 두 번씩 장고도와 갯벌로 연결되는 명장도란다. 아무도 살지 않는 조그만 섬이다.

술이 몇 순배 돌아갔을 때 주인 남자가 술자리에 합류했다. 할아버지의 할아버지, 그 할아버지 때부터 숙명처럼 이 섬에 살았다는 어부의 검게 탄 얼굴에서 세파를 이겨내며 살아가는 결기를 읽는다. 모진 비바람을 견디느라 구불구불 비틀린 무화과나무 가지를 똑 닮았다.

이곳 사람들은 한국동란 때도 전쟁이 난 줄도 모르고 살았다고 한다. 태안반도의 끝 안면도 건너편에 있는 이 작은 섬에는 오직 하루하루 모진 비바람과 거친 파도와 싸우면서 생계를 이어 나가는 게 전쟁이라면 전쟁이었던 것 같다.

자식들은 똥구멍에 바람이 들어가 모두 육지로 떠났고, 부부싸움이라도 해서 아내가 육지에 있는 자식들에게 가고 나면 덩그러니 혼자 남게 된단다. 그럴 때면 저녁 무렵 소주병을 들고 물 빠진 갯벌을 지나 할아버지와 할머니가 묻혀 있는 명장도로 간다고 했다. 그리고 사는 게 너무 무서워 엉엉 소리 내어 울곤 했단다. 칼을 벼리는 듯 날 선 바람 소리가 무서운 걸까, 지칠 줄 모르고 끝없이 밀려오는 무심한 파도가 무서운 걸까, 바람 소리와 파도 소리만이 온몸을 감싸고 있는 이 세상에 홀로 남겨져 있다는 외로움이 무서운 걸까?

술에 취해 달빛에 취해 늦은 시간까지 친구들과 떠들다 잠자리에 들었다. 좁은 민박집 방에 5명이 함께 누우니 방은 좁고 코 고는 소리에 사내들 냄새까지 겹쳐 새벽녘에 잠을 깨고 말았다. 다시 잠들기는 어려울 듯하여 살그머니 방에서 나와 다시금 물이 빠지고 있는 바닷가로 나가 방파제에 걸터앉았다.

구름이 짙게 드리운 밤하늘은 달도 별도 사라지고 더욱 적막하기만 하다. 저만치 바다 위에 외롭게 떠 있는 명장도가 어슴푸레 보인다. 엄습해 오는 공허함에 가만히 눈을 감는다. 바람 소리와 파도 소리가 더욱 선명해지고 사는 게 무서워 엉엉 울었다는 어부의 고독이 느껴진다.

이어 칠흑처럼 어둡고 적막한 그 어둠 곳곳에서 누군가의 기도와 희망, 치열하게 살아가는 모습들이 하나씩 떠오른다. 고기잡이

나간 남편을 기다리는 어느 아낙의 애절한 기도, 도시로 나간 자식을 걱정하는 어미의 간절한 소망, 가족들 생계를 위해 굽은 허리를 펴지 못하고 그물을 올리는 늙은 어부의 마디 굵은 손이 하나씩 겹쳐져 다가왔다.

망망대해의 작은 섬처럼 외롭게 사는 사람들이 어찌 이 섬에만 있으랴. 사람들은 너무 외로워서 사는 게 힘들다고 한다. 그래서 외로움을 달래려고 다른 사람들과 어울려 술도 마시고, 노래도 하고, 웃고 떠들기도 한다. 하지만 그 시간이 지나고 나면 여지없이 다시 찾아오는 것이 또 혼자라는 외로움이다. 많은 사람에게 둘러싸여 있어도 마음이 닫혀 있다면 혼자 있는 것과 다름없다. 하지만 혼자 있어도 누군가를 생각하고 그 사람을 위해 기도할 수 있다면 혼자 있는 것이 아니다.

지독한 외로움은 결국 지독한 이기심이 만들어 주는 것이다. 망망대해의 작은 섬처럼 외롭게 살아가는 사람들도 누군가를 위해 기도할 수 있다면 행복한 것이다. 마음을 열고 누군가를 그리워해보자. 그리고 그 사람을 위해 간절히 기도해보자. 그 사람과 함께하는 이 가을이 더 행복해지도록….

월명암(月明庵)

단양에서 영춘으로 가는 도로의 주변은 낯설지만 정겨웠다. 포장되지 않은 신작로를 달리는 버스 뒤로 흙먼지가 뽀얗게 날리고, 산마루에 펼쳐지는 노을은 고즈넉한 산골 마을을 신비로움으로 물들이고 있었다. 순간 나는 그 황홀한 풍경에 취해 비좁고 아슬아슬한 고습재를 벗어나, 유유히 흐르는 남한강의 푸른 물길 속으로 한없이 빨려들어 가는 느낌을 받았다.

가곡면 소재지에서 내리니 소개받은 분이 우리를 맞이해 준다. 그곳에서 초등학교 선생님을 하는 사람이다. 한 손에는 책가방을, 또 한 손에는 옷 가방을 들고 우리는 차 한 대가 겨우 다닐 수 있는 시골길을 걸어갔다. 하루에 버스가 2차례만 오가기에 걸어서 암자까지 가야만 한단다.

십여 리 길이다. 땅거미가 지고 있었다. 도로는 거대한 산속으로 빨려들어 가고 있는 강의 지류를 따라 꾸불꾸불 이어지고 있다. 그리고 산과 계곡 사이의 손바닥만 하게 조각조각 이어진 밭뙈기에서는 갖가지 작물들이 자라고 있었다.

한 시간 정도 걸어 암자에 도착했을 때, 사방은 캄캄하게 어둠을 드리우고, 암자에서 흘러나오는 희미한 불빛만이 망망대해에서 만난 등대처럼 우리 일행을 반겨 주었다. 꼭 43년 전에 있었던 일이다. 학창시절에 공부를 하겠다고 그렇게 월명암에 갔었고, 그곳에서 2달간 꿈같은 시간을 보냈다.

올해는 아내의 휴가계획에 맞추다 보니, 가을이 다 되어서야 정기휴가를 가게 되었다. 여행할 때면 으레 계획을 세우고 숙소 예약을 하는 것은 아내의 몫이고, 나는 짐을 챙기고 운전하는 일을 맡는다. 이번 여행도 행선지가 제천과 단양지역이라는 것만 알고 출발했다. 자세한 일정은 그때그때 아내가 하자는 대로 하면 된다. 단양지역의 숙소는 가곡면에 있는 한옥 체험 마을이란다.

단양읍에서 가곡면으로 가는 길은 예전과는 전혀 달랐다. 고습재를 넘어 강줄기를 따라 꾸불꾸불 이어진 길로 가지 않고, 강을 가로질러 터널과 다리로 연결한 4차선 도로를 이용했다. 숙소 인근에 도착해서야 그곳이 43년 전 공부하러 왔던 동네라는 것을 알았다. 넓어진 도로, 말끔하게 새로 지은 가옥, 반듯한 제방 등이 낯설었지만 그곳은 분명 월명암 인근이었다.

해 질 무렵, 예전에 공부하던 암자가 궁금해 찾아갔다. 마을 뒤편으로 난 오솔길을 따라 세월을 거슬러 올라 암자에 들어서니, 옛 기억에 가슴이 뭉클하다. 대웅전은 옛 모습 그대로인데, 요사채는 장소를 옮겨 새로 지었다. 암자 옆으로 흐르는 계곡물은 그때와 변함없이 선계仙界의 가락이 되어 적막한 암자에 생기를 불어넣는다. 요사채에서 가느다란 불빛이 새어 나온다. 43년 전 스님의 나이가 환갑을 넘었으니 지금은 다른 스님이 살고 있으리라.

경내를 둘러보고 나오려는데 스님이 우리를 부르며, 차 한잔하고 가란다. 스님의 얼굴을 보는 순간 벌써 돌아가셨을 거라고 생각했던 예전의 스님 모습과 너무도 흡사하다. 혹시나 하여 예전의 스님과 어떤 관계냐고 물었더니 아들이란다. 예전의 스님은 20여 년 전 이미 돌아가셨고, 지금은 본인이 절간을 지키고 있다고 한다.

오래전 이 절에서 잠시 기거했었다는 말을 듣고 스님은 이것도 인연이라며 반가워한다. 그리곤 자신의 기박한 운명을 털어놓는다. 중의 아들로 태어나 부처님 품에서 자랐으나, 일찍이 절을 떠났었다. 결혼하고 아이를 둘이나 낳았으나, 둘째 아이를 낳고 부인이 곧 세상을 떠났다. 어린 것들을 키울 방법이 없어 아이들을 데리고 절간으로 돌아와 중이 되었단다. 이야기는 자연스럽게 과거와 현재를 오갔고, 스님의 모습 또한 예전에 함께 식사하시던 자상하고 인자했던 스님과 지금의 스님이 오락가락했다.

한참을 이야기하다 밖으로 나오니 월명암 경내에 달빛이 그윽하다. 이곳에 처음 왔을 때가 스무 살이었으니, 내 삶에 있어 가장 아름답고 순수했던 시기였다. 젊음은 충만했고 마음만 먹으면 무엇이나 가능하고, 삶은 영원할 것이라고 믿었던 시절이다. 그런 만큼 좋고 싫은 것이 분명하고, 마음의 격정이 심해서 쉽게 화내고 쉽게 웃기도 했다. 한편으로는 불확실한 미래에 불안해하고, 부조리한 세상을 향해 분연히 마주 서고자 했던 시절이었다.

달빛을 등에 업고 암자에서 내려오는 길은 편안하고 여유가 있다. 인생의 영마루를 한참이나 지났으니, 세파에 풍화된 삶 또한 조금은 둥글고 매끄럽게 다듬어졌으리라. 쉼 없이 울어대는 풀벌레 소리, 계곡의 맑은 물소리가 선계에 들어선 느낌이다. 급히 서두를 일도 없고, 지금 당장 꼭 해야 할 일도 없는 여유로운 삶이다. 즐거우나 호들갑스럽지 않고, 외로우나 슬프지 않은 삶이다. 적당한 불의는 맞서지 않고 그저 비켜 가기도 한다. 눈에 들어오고 귀에 들리고 생각하는 모든 것들에 거슬림이 없으니, 이 또한 신선의 삶이 아니겠는가.

제 3 부

함께 노을을 보다

깨달음에 이르는 길

찌는 듯한 무더위가 절정으로 치닫던 여름날 오후에 스님 한 분이 찾아오셨다. 비교적 얼굴도 준수하고 차림새도 깔끔한 스님이었다. 무슨 볼일이라도 있나 해서 눈치를 보자, 더위에 땀이나 식히고 가게 보시를 좀 하란다. 스님은 계룡산 부근의 움막에서 수행하고 있는데, 괴산에 있는 공림사로 가는 길에 만행(萬行)하기 위해 들렀단다.

스님이 차 한 잔을 마시며 땀을 식히는 동안 나는 스님과 대화를 나누었다.

"스님께서는 왜 그렇게 움막에서 수행을 하시나요?"

"깨달음을 얻기 위해서입니다."

"깨달음이란 무엇인지요?"

"번뇌에서 벗어나는 것이랍니다."

"번뇌에서 벗어나려면 어떻게 해야 하나요?"

"집착에서 벗어나야지요."

"집착에서 벗어나려면 어떻게 해야 하나요?"

"무릇 모양을 가진 것은 허망한 것입니다. 모양을 가진 것을 보고도 모양이 없는 것처럼 생각해야 합니다."

"모양은 무엇인지요?"

"형태와 크기와 색깔과 명암을 말합니다."

"모양이 있는 것을 어찌 모양이 없는 것으로 간주할 수 있는지요? 잘 이해가 되지 않습니다."

"가치가 있는 것을 보고 물건에 대한 욕심을 내지 않으며, 아름다운 여자를 보고 색욕을 느끼지 않으며, 보잘것없는 것을 보고 업신여기지 않으면, 그것이 곧 부처에 이르는 길입니다."

"그럼 어떻게 해야 그런 경지에 도달할 수 있는지요? 스님처럼 움막에서 살며 수행할 수 없으니 말입니다."

"하심을 해야 합니다. 마음을 내려놓아야 합니다. 희로애락애오욕이라는 칠정(七情)에 휘둘리지 말아야 합니다."

잠깐 동안의 대화였지만 문득 마음에 와닿는 것이 있었다. 얼마 안 되는 시주를 스님의 보퉁이에 넣으면서, 대학을 다닐 때 친구들과 함께 단양에 있는 절집으로 공부하러 갔을 때의 일이 떠올랐다. 자그마한 암자인지라 방은 2개뿐이었는데, 일행은 3명이어서 한사람이 부득이 법당을 쓰기로 했다. 우리가 쓰는 방과 법당은 100여 미터 떨어져 있었는데, 밤늦게 법당에 있던 친구가 기겁해서 뛰어내려오는 소동이 있었다. 막 잠이 들려고 하는데 어디선가 북소리가 둥~둥~둥 점점 커졌다고 한다. 깜짝 놀라 벌떡 일어났는데 무언가 머리카락을 꽉 움켜잡아, 있는 힘을 다해 뿌리치고 우리가 있는 방으로 달려왔다고 한다.

우리는 손전등을 들고 조심조심 법당으로 가 보았다. 법당에는 작은 북이 있었고 그 위에는 귀뚜라미가 점잖게 앉아 있는 게 아닌가? 그리고 야트막한 법당의 천장 아래로는 양철로 만든 연등이 빼곡히 매달려 있었다. 사연인즉, 귀뚜라미가 북위에서 뛰어노는 소리에 깜짝 놀라 벌떡 일어섰는데, 양철로 만든 연등에 머리카락이 낀 것이다. 모든 것은 마음이 지어내는 것이라고 한다. 알고 보니 그저 귀뚜라미요, 그저 양철로 만든 연등이었는데, 그 친구는 형상도 없는 헛것을 떠올리고 기겁을 한 것이다.

세상 사람들이 어찌 모두가 감정에 휘둘리지 않고, 늘 평상심을 유지하며 살아갈 수 있겠는가? 세상 사람들이 어찌 모두 부처가 되기를 바라겠는가? 대부분의 사람들은 부자가 되고, 권세를 누리고, 사랑하는 사람과 함께 하고, 맛있는 음식을 먹고 싶은 기본적인 욕구를 누리며 사는 것이 잘사는 것으로 생각한다. 심지어는 그러한 기본적인 욕구를 채우지 못해서 범죄를 저지르고 자살을 하기도 한다.

그러고 보니 어떤 이는 욕심을 버리기 위해 수행을 하고, 어떤 이는 욕심을 채우기 위해 고뇌하고 있지 않은가? 속세에 사는 우리에게 진정한 깨달음의 세상은 어떤 것일까? 끊임없이 금욕하고, 절제하고, 고행하며 사는 것일까? 아니면 기쁠 때 크게 웃고, 슬플 때 소리 내어 울고, 사랑하는 사람 힘껏 포옹해 주며, 마음이 가는 대로 사는 것일까? 우리는 정녕 비움과 채움, 무욕과 욕망 사이에서 방황할 수밖에 없는 중생들인가?

"스님, 살아가는 이유가 번뇌로부터 벗어나기 위함인지요? 깨달음을 얻는 게 삶에 이유라면 사는 것이 너무 힘들군요?"

스님은 묵묵부답 웃기만 한다.

"스님 이제 어디로 가시는지요?"

"예, 또 땀을 식힐 곳을 찾아봐야지요."

복도를 걸어가는 스님의 어깨에 걸친 보퉁이가 너울너울 춤을 춘다.

함께 노을을 보다

노을이 보이는 생의 한 시점에서 그를 만났다. 전에도 그는 늘 내 주변에 있었지만 내 마음으로부터 멀리 있었기에 나와는 전혀 상관없는 그런 존재였었다. 나이가 들면 늘 가까이 있으면서 함께 시간을 보내고, 서로 의지하며 기쁨과 슬픔을 나눌 수 있는 대상이 필요하다고 생각했었다. 그 무렵 그가 홀연 내 앞에 나타났다. 처음 그를 만났을 때 그는 아무 말 없이 내게 손이 닿을 수 있는 앞자리를 내주었다. 어색한 분위기만큼이나 딱딱한 의자에 마주 앉아 무엇부터 시작해야 할지 한참을 망설이고 있을 때, 그는 서두르지 않고 묵묵히 기다려 주었다.

그의 가슴은 바다같이 넓었고 그의 재주는 천년의 숲처럼 오묘했다. 그의 소리는 복사꽃처럼 화사하기도 하고, 라일락꽃처럼 향기롭기도 하고, 국화꽃처럼 그윽하기도 해서 도무지 그 깊이를 가늠할 수 없었다. 그래서인지 얼마간은 그를 대하는 것이 설레기보다는 두려움이 더 컸었다. 하지만 그는 능숙한 조련사처럼 서두르지 않았다. 나는 틈만 나면 그와 함께 시간을 보냈다.

그 많은 시간 속에서의 어긋남과 화해, 마음의 격동이 거듭되면서 우리는 차츰 친숙해져 갔다. 내가 서툰 손놀림으로 그에게 다가가도 그는 거부하지 않고 나를 받아들였다. 내가 낮게 다가가든 높게 다가가든 아님 거칠게 다가가든 그는 나무라지 않고 있는 그대로의 나를 받아들였다.

시간이 갈수록 우리의 정은 깊어갔다. 그는 내 마음이 가라앉아 있을 때는 심연의 바다처럼 침잠되어 있다가도, 내 마음에 격정이 일 때는 넘실대는 파도처럼 다가왔다. 높고 낮게, 빠르고 느리게, 강하고 약하게, 우리는 그렇게 서로에게 조금씩 익숙해져 갔다.

그는 이제 내 의지에 따라 받아들이기만 하는 것이 아니라, 좀 더 적극적으로 내 안에 들어와 내 마음을 움직이곤 한다. 답답하고 울적할 때 그와 있다 보면 어느덧 기쁨으로 바뀌어 있고, 마음이 들떠 종잡을 수 없다가도 그와 함께 있으면 이내 차분한 분위기로 변해 간다. 그렇게 우리는 아주 사소하고 그냥 지나쳐도 되는 부분까지 섬세하게 서로를 챙기며 보듬어 주는 삶의 반려자가 되어 가고 있다.

퇴직을 앞두고 무언가 채울 수 없는 욕구가 있었다. 그것은 마음의 저 아래로부터 조금씩 샘솟아 올라 시간이 갈수록 짙은 공허함으로 변해 갔다. 한동안 그것이 무엇인지 확실한 실체를 몰라 고민하다가, 결국 나이가 들어가면서 겪게 될 외로움과 불안이라는 것을 알게 되었다.

앞으로 내게 주어질 그 많은 시간을 어떻게 보내야 할까. 나이가 들어 나약해져 갈 때 흔들리고 또 흔들릴 때, 어떻게 마음을 다잡아 나갈까. 물론 가족이 있고 친구가 있으니 그들과 함께 가야 할 길이다. 하지만 그들이 어떻게 내가 필요할 때마다 항상 나와 함께 해 주겠으며, 내 의식 속에서 겪게 될 숱한 갈등을 치유할 수 있겠는가. 결국 마지막 순간까지 나를 지탱해 줄 수 있는 것은 자신뿐이라고 생각했을 때, 나는 그와 인연을 맺게 되었다.

학창시절부터 기타를 쳤었고, 나이 들어서는 합창단에서 활동하고 있었기에 음악에는 다소 친근감이 있었다. 그래도 피아노는 생소한 악기여서 과연 할 수 있을지 걱정도 되었다. 왼손과 오른손이 각각 다른 방법으로 움직여야 하고, 발은 화음이 바뀔 때마다 페달을 밟아 주어야 하고, 눈으로는 악보를 보고, 입으로는 노래를 부르는 것이니 다섯 가지 서로 다른 기능이 동시에 조화를 이루어야 한다.

처음 얼마간 손은 손대로 발은 발대로 움직일 때면 너무 힘들어 그만둘까 하는 생각이 들기도 했었다. 하지만 어렵게 선택한 꿈을 포기할 수 없었기에 더욱 애착을 갖고 매달렸고, 수없이 많은 시행착오를 겪으며 조금씩 익숙해져 갔다. 지난 몇 년 동안, 하루 몇 시간씩 피아노 앞에 앉아 그와 보낸 시간은 참으로 행복했다. 더구나 내가 선택을 했고 또 나의 노력으로 무언가를 이루어 간다는 것이 마음을 뿌듯하게 했다. 지나온 시간이 행복했던 만큼, 앞으로 그와 함께 보내야 할 시간은 또 얼마나 많은 기쁨과 위안이 되어 내게 다가올 것인가?

둘 사이에 로망스의 선율이 흐른다. 단조롭고 조금은 빠른 리듬인데도 애절한 느낌이 든다. 그러면서도 달콤하다. 결코 뿌리칠 수 없는 끌림에 한 음 한 음을 건반 위에 새기며 연주에 빠져든다. 메말랐던 영혼이 촉촉이 젖어 가면서, 내 삶의 노을이 아름답게 물들어 간다.

목련나무 아래서

산책로 한쪽에 커다란 목련나무가 있다. 얼었던 땅이 푸슬푸슬 해질 무렵이면 꽃이 만발해서 제일 먼저 봄이 왔음을 알려준다. 겨우내 혹독한 추위를 이겨내며, 이제나저제나 봄을 기다렸던 봉오리가 '톡' 터지면, '아, 봄이구나!' 하는 탄성이 절로 나올 것처럼 하얀 꽃잎이 소담하고 화사하다.

보강천을 산책하면서 목련나무 아래서 잠시 머무는 것이 그 무렵부터다. 수줍은 듯 배시시 웃으며 막 피어나는 꽃잎을 보고 있으면, 겨우내 찌들고 움츠렸던 마음이 나긋나긋해지면서 따스해지곤 한다. 하지만 목련꽃이 활짝 핀 것을 보는 것은 불과 며칠뿐이다. 꽃샘추위 때문인지, 봄바람 때문인지, 피는듯하다가 금시 져버려 아쉬움을 준다. 그래서일까, 목련꽃에 관한 설화는 슬프기만 하다.

옥황상제의 딸이 북쪽 바다의 신을 남모르게 사모했단다. 사모하는 마음을 견디다 못해 북쪽 바다의 신을 찾아갔으나, 그는 이미 결혼한 유부남이었다. 실의에 빠진 옥황상제의 딸은 자결하였고, 그 자리에 하얀 목련꽃이 피었다는 눈물겨운 이야기다.

수천 송이의 목련꽃이 '후드득' 지고 나면 허무한 마음에 봄도 함께 사라지는 것처럼, 마음속에 찬바람이 일곤 한다. 꽃이 진 자리에서 잎이 돋아나 나무가 무성해지면, 져버린 꽃잎만큼이나 수많은 참새가 찾아와 목련나무에 둥지를 튼다.

날이 뿌옇게 밝아올 무렵이면 참새들의 부산한 하루가 시작된다. "재잘재잘, 와글와글, 시끌시끌" 참새들의 떼창을 듣고 있노라면, 잠시 피는듯하다가 사라져버린 목련꽃에 대한 아쉬움이 간데없이 사라지곤 한다. 참새들의 떼창에는 일정한 리듬이나 박자가 없다. 쉼표도 없다. 그런데 생기발랄하다. 너나없이 앞다투어 목청껏 재잘거린다.

참새들의 그칠 줄 모르는 입방아는 목련꽃의 이루지 못한 사랑에 대한 추모이지 싶다. 사랑은 가고 뒷이야기만 무성한 인간사와 별반 다를 게 없다. 아름다운 사랑을 꿈꾸는 사람들에게, 못다 한 사랑은 늘 짧고 아쉬운 추억만이 오래 남듯이….

마음에 번다한 생각이 떠나지 않을 때면, 목련나무 아래서 잠시 쉬며 참새들의 떼창을 듣는다. 쉼 없이 계속되는 참새들의 두서없는 떼창에 열중하다 보면, 마음은 오히려 고요해지면서 부질없는 잡념에서 벗어나곤 한다.

참새들에게 화답한다. 세상일이라는 것이 본디 정해진 것이 없었고, 원래부터 사람 다니는 길이 있었던 것도 아니라고. 희로애락애오욕(喜怒哀樂愛惡慾)이라는 것 또한, 스스로 만들어 놓은 덫에 불과하지 않던가. 덫에 집착하지 말고, 생각과 행동에서 자유로워지자. 어수선한 소음 속에서 평온을 찾고, 혼돈 속에서 질서를 찾을 수 있다면, 마음에 거슬리는 것 또한 없지 않겠나.

목련나무 옆에 목련보다 더 큰 소나무가 있다. 주위의 나무들이 모두 잎을 떨구고 앙상한 가지만 남겨 두었는데, 소나무만이 홀로 푸르다. 날 선 추위에도 아랑곳하지 않고, 푸름을 과시하며 독야청청 하는 모습이 주위를 압도한다.

우리 선조들은 추위에도 푸름을 잃지 않는 소나무에게서 변치 않는 지조와 드높은 기개를 배우고자 했다. 늘 변함없는 솔잎처럼 어떤 회유와 시련에도 굴하지 않고 사는 것을 선비가 추구해야 할 최고의 덕목으로 생각했다. 나도 가끔은 운치 있는 소나무 한그루 곁에 두고, 고고(孤高)하게 살았으면 좋겠다는 생각을 한다.

그런데 오늘따라 소나무의 독불장군 같은 모습이 왠지 쓸쓸하고 외로워 보인다. 겨울이 와도 잎이 지지 않는 푸른 솔잎이 주변과 조화를 이루지 못하는 이방인처럼 보인다. 송백지하 기초불식이라고, 소나무와 잣나무 아래서는 풀이 잘 자라지 못한다고 한다. 생명력이 왕성해서 주변의 영양분을 많이 흡수하고, 잎에서 독성이 있는 물질을 배출하여 다른 식물들이 자라지 못하게 한단다. 이 또한 공생의 도를 실천하지 못함이 아닌가.

중국 전국시대의 초나라 사람인 굴원이 유배 갈 때, 강가에서 만난 어부가 굴원에게 말했다. "온 세상이 모두 흐리고 모든 사람이 취해 있는데, 홀로 밝게 깨어 있어 모함을 당했구려. 성인은 세상 사물에 얽매이지 말고, 세상의 추이에 따라 변해갈 수 있어야 하오. 나는 창랑의 물이 맑으면 갓끈을 씻고, 창랑의 물이 흐리면 내 발을 씻소."

세속에 어울리지 못한 굴원은 결국 멱라강에 몸을 던져 자결했다. 굴원처럼 살 것인가, 어부처럼 살 것인가. 정답은 없다. 때론 굴원처럼 때론 어부처럼 살 수 있다면, 그게 정답 아닐까?

봄이 되면 새로운 싹을 틔우고, 여름이면 연둣빛 잎이 초록으로 변하고, 가을이면 울긋불긋 단풍이 되어 땅으로 돌아가는 것이 자연의 순환이다. 오늘따라 주위와 어우러지지 못하는 소나무가 오만하고 고집스러운 모습으로 비친다. 오히려 잎을 모두 떨어뜨린 목련나무에게서 자신을 내려놓을 줄 아는 겸손과 조화의 미덕이 보인다.

찬바람만 서걱거리는 목련나무에는 무성했던 잎이 지고, 참새들도 어디론가 떠났다. 잎이 진 자리에는 서식지를 옮긴 참새 수만큼이나 많은 봉오리가 돋아나 겨울을 나고 있다. 지난봄의 아픈 사연은 잊은 채 목련은 또 다른 사랑을 준비하고 있었다.

절규

그림을 보며 충격에 빠져 한참을 눈을 뗄 수 없다. 그림은 핏빛 하늘에 암청색 도시를 배경으로 하고 있다. 눈동자가 다 보이도록 크게 뜬 눈, 아래위로 크게 벌린 입 모양, 두 손으로 해골과 같은 얼굴을 감싸고 있는 모습에서 공포에 찬 절규가, 찢어지는 듯한 비명이 흘러나오고 있다. 노르웨이 표현주의 화가 뭉크의 절규라는 그림이다.『두 친구와 함께 산책하러 나갔다. 햇살이 쏟아져 내렸다. 그때 갑자기 하늘이 핏빛처럼 붉어졌고 나는 한 줄기 우울을 느꼈다. 친구들은 저 앞으로 걸어가고 있었고 나만이 공포에 떨며 홀로서 있었다.』그림 밑에 있는 작품설명이다. 그림 속에 있는 병마에 시달리는 듯한 환자의 모습에서 고독과 질투, 불안, 절망, 공포 등의 어두운 느낌이 전해 왔다.

명작은 사람들을 생각하게 만든다. 누구나 한 번쯤 보았을 뭉크의 작품을 보며 생각에 잠긴다. 미래와 노후에 대한 불안, 자녀들의 장래에 대한 걱정, 지나온 삶에 대한 회한으로 우리는 늘 불안에 시달리며 살아가고 있다.

무언가 해야 할 것 같아서 무엇을 할까 생각하면 딱히 꼭 해야 할 일도 없는 경우가 있다. 왠지 무언가 부족한 것 같아 허전해지다가도 다시 생각해 보면 무엇이 더 필요한지도 명확하지 않다. 시간을 잃고, 젊음을 잃고, 건강을 잃어간다는 생각에 늘 허기진 사람처럼 마음에 갈피를 잡지 못하고 불안해하기도 한다.

그 불안은 현실적 결핍에서 오는 것이기도 하지만 많은 부분은 다른 사람과의 비교에서 비롯된다. 내가 누려왔고 지금 가지고 있는 것은 접어 두고, 내게는 없는 다른 사람들이 가지고 있는 것만을 보며, 상대적 박탈감을 느끼는 경우가 종종 있다. 또한, 불행스러운 일이 생기면 어쩌나 하는 쓸데없는 노파심이 불안을 키우기도 한다.

며칠 전 모임에서 있었던 일이 떠오른다. 그날 모임은 같은 직장에서 근무하다 퇴직한 동갑내기 모임이었다. 몇십 년을 함께 일한 사람들이고 나이가 같으니, 퇴직을 했어도 서로가 살아가는 환경이 크게 다르지 않을 것 같다. 대부분 취미생활이나 텃밭에서 소일하며 지내고, 몇몇은 재취업을 하여 일을 하고 있다.

식사 분위기가 무르익자 한 친구가 좋은 정보가 있어서 공유하고 싶다며 이야기를 꺼냈다. 본인은 현재 재취업하여 건설회사에서 일하고 있지만, 나중을 생각해서 건축 관련 자격증을 하나 더 취득했단다. 그리고 요즘은 고용지원센터에서 지원해 주는 교육비로 손해평가사 자격증 취득 교육을 받고 있단다. 모두 대단하다며, 칭찬을 아끼지 않는다.

그러자 부동산중개업을 하는 친구가 말을 받아 본인은 한 달에 200만 원 정도의 수입을 올리고 있는데, 여든살까지는 일할 거라며, 부동산중개사 자격증 취득을 권유한다. 그러자 여기저기서 부럽다는 듯 "와아" 하는 탄성과 "으음" 하는 신음 소리가 동시에 들린다. 비슷한 여건에서 일하다 퇴직을 했는데 누군가는 아직도 돈을 벌고 또 장래를 준비하며 공부하고 있다는 이야기에 대견스럽기도 하고 한편으로는 부럽기도 했던 것 같다.

사람에 따라 조금은 다르겠지만 나이가 환갑을 지났으니 젊었을 때처럼 혈기 왕성할 리가 없다. 친구 중에는 이미 세상을 달리한 사람도 있고 불치의 병에 시달리는 사람도 있다. 육체는 나약해져 가고 지적인 능력도 퇴화하고 있다. 다른 건 몰라도 최소한 건강만큼은 크게 좋아지기 어렵지 않겠는가. 그래서 '건강이 최고야' 하면서 텃밭을 가꾸고 취미생활이나 하며 지내다가도 누군가 무엇을 성취했다고 하면, '이렇게 살아도 되는 건가?' 하며 무어라도 해야 할 것처럼 부러워하고 조바심을 내며 불안해한다.

삶은 그렇게 끊임없이 다른 사람과 비교하고, 무언가 채우고 싶은 욕구에서 헤어나지 못하는 것인가 보다. 얼마 전 유명한 원로작가가 인터뷰에서 한 말이 생각난다. 우선 자신을 객관적으로 보아야 하고, 다음은 다른 사람과 비교해서 불행해지지 말 것이며, 마지막으로 죽음의 두려움에서 벗어나라는 충고였다.

놀랍게도 지구상에서 행복지수가 가장 높은 나라가 중국과 인도 사이의 히말라야산맥 기슭에 있는 부탄이라는 작고 가난한 나라라고 한다. 그들은 스스로 "우리는 욕심이 없어요."라고 말한다. 이웃을 경쟁의 상대가 아니라 기쁨과 슬픔을 함께 나누는 파트너로 생각한단다. 우리는 부탄에는 없는 것들을 수없이 많이 가지고 있다.

그러나 우리가 가질 수 있는데도 불구하고 아쉽게도 없는 것처럼 느껴지는 것들이 부탄에는 있는 것이다.

남의 떡이 커 보인다는 옛말이 있다. 행복과 불행은 우리가 마음먹기에 달렸다. 자신이 지금 선택한 삶이 직업일 수도 돈일 수도 또 다른 성취일 수도 있다. 아니면 현실에 대한 안주나 자아실현일 수도 있다. 그것이 무엇이었든 만족스럽게 받아들일 때 저무는 하루가 더욱 아름답지 않겠는가?

늘 마지막처럼

생의 종착지 즈음에 다다른 노인들의 로맨스를 그린 영화를 보다가 가슴에 와닿는 대사가 있었다. 꽃집을 운영하는 할머니와 마트에서 아르바이트하는 할아버지가 그들의 열렬한 데이트를 만류하는 사람에게 "우리같이 나이 든 사람들에게는 모든 게 다 마지막이잖아요."라고 대답하는 대사였다.

마지막이기 때문에 꼭 하고 싶은 게 있으면 해야 하고, 또 더욱 열심히 할 수 있는 것 아니냐는 거다. 그 마지막이라는 말이 그렇게도 비감하고 한편으로는 너무도 경건해서 한참 동안 머릿속을 떠나지 않았다.

누구나 마지막이라는 말을 떠올리면 왠지 가슴이 뭉클해지고 안타까운 생각이 들지 않을까 싶다. 내게도 마지막의 기억들은 즐겁기보다는 아쉬움이 더 크다. 학창 시절에 좋아하던 사람과의 이별, 군 복무를 마치고 부대를 나설 때 고락(苦樂)을 함께 했던 전우들과의 헤어짐, 내게 많은 사랑을 주셨던 아버님을 저세상으로 보내드릴 때의·아픈 기억들이 마지막이라는 말과 오버랩 되곤 한다.

이 가운데 연인과의 이별은 군대에 가기 전에 스스로 결정한 것이었는데, 그때는 사랑하기 때문에 헤어진다는 말이 한참 유행하던 시절이기도 했다. 군대 전우들과는 세월이 한참 흐른 뒤에 다시 만날 기회가 있었지만 절실함이 부족하여 그냥 마지막이 되도록 방치하였다. 아버님과의 이별은 선택의 여지가 없는 하늘의 뜻이었지만, 그 또한 시간이 지나면서 고통보다는 그리움 쪽으로 가닥을 잡아가고 있다.

그러고 보면 지난 시절 내게 주어졌던 마지막이라는 사건들은 주로 사람과의 이별이었고, 또 다른 사람과의 만남을 통해 자연스레 치유되곤 했다. 돌이켜보면, 과연 내게 마지막이라는 말이 사람과의 만남과 이별뿐이었을까 하는 생각이 든다. 학창 시절 공부를 하면서, 직업을 선택하면서, 자녀들을 교육시키면서, 건강을 관리하면서, 여행을 하면서도 그 마지막이라는 것과 수없이 마주치지 않았던가. 그러면서 그 마지막이라는 말을 얼마나 절실하게 되새기며 내 인생의 진로를 결정하고 실행해 왔던가? 그 당시 순간순간 내게 마지막이라는 절박함이나 진지함이 더했다면 내 삶은 훨씬 더 좋아졌을 것이다.

나는 요즘 다음이라는 말을 잘 쓰지 않는다. 무언가 생각나는 게 있고 하고 싶은 게 있으면 오래 망설이지 않는다. 그렇다고 그게 세상을 바꿀 만큼 엄청나게 중요한 일들도 아니다. 그저 보고 싶은 사람이 있으면 곧바로 연락해서 만나고, 먹고 싶은 것이 있으면 얼른 해결하고, 하고 싶은 일이 있으면 오래 망설이지 않고 실행에 옮기곤 한다.

어찌 보면 팔자 좋은 사람이라고 빈축을 살 수도 있는 일이지만,

이건 돈이나 시간의 문제라기보다는, 삶의 태도에 관한 문제이기도 하다. 젊었을 때는 직장에 매여서 살다 보니, 일 이외의 다른 것들은 늘 다음이라는 그럴듯한 핑계로 치부하곤 했다. 그러나 이젠 내게도 다음으로 미룰 수 있는 시간이 그리 넉넉하지만은 않은 듯싶다. 매사를 마지막일지도 모른다고 생각하는 것은 사람을 참으로 진지하고 용감하게 만드는 것 같다.

나는 성격상 지나간 일들을 들추어내는 것을 극구 피하는 경향이 있다. 그래서 오래된 일들에 대한 기억이 정확하지 않은 단점이 있기도 하다. 가끔 모임에 가면 내내 옛날이야기를 듣다 올 때가 있다. 젊었을 때는 불의를 보면 참지 못했고, 수없이 많은 사람들에게 선행을 베풀었으며, 국가와 민족을 위해 많은 일을 했다는 판에 박힌 무용담이다. 고개를 주억이며 영혼을 팔고 올 때면, 왠지 허전하고 씁쓸한 기분이 든다.

왜 사람들은 지나간 과거에 매달려 사는 걸까? 굳이 지나온 과거에 마지막이라는 튼튼한 벽을 쌓아 미래로 가는 길을 막고 있는 걸까? 미래에 대한 불안감 때문일까? 오늘에 충실하고 내일에 대한 기대감이 충만하다면, 얼마든지 새로운 마지막을 만들어 갈 수 있을 텐데 하는 아쉬움이 들곤 한다.

죽음이 두려울 나이인 90세의 피아니스트 시모어 번스틴은 매일 8시간씩 피아노 연습을 한다고 한다. 이제 은퇴해서 공연을 할 것도 아닌데, 왜 그렇게 열심히 연습하느냐는 질문에, 그는 그저'자신의 한계에 도전하고 좀 더 좋은 사람이 되고 싶어서'라고 대답한다. 90세에 시를 쓰기 시작해서 100세에 시집을 낸 시바타 도요 할머니는 우리에게 '약해지지 마라'는 시어를 던져 주고 있다.

어떻게 사는 게 참다운 삶일까? 이제는 내가 진정 좋아하는 일과 하고 싶은 일을 위해 열정을 다해 보고 싶다. 모든 일이 마지막일 수도 있다는 절실한 마음으로 하루하루를 살고 싶다. 이 세상에 나의 존재가 있어야 할 자그마한 이유라도 늘 만들어 가며, 참 좋은 사람이 되는 마지막 그 순간까지 말이다.

마지막이라는 말은 때론 우리를 비감하고 절망적이게도 하지만, 종종 오늘을 살아가는 데 경건하고 용감하며 최선을 다하게 하는 위대한 힘이 되기도 한다.

이런 사람 되고 싶소

나를 제일 잘 아는 사람이 나였으면 좋겠다. 하지만 내가 나를 얼마나 잘 알고 있는지는 나도 모른다. 자신에 대한 평가는 늘 관대하고 넉넉해서 믿을 게 못 된다. 하지만 내가 어떤 사람이었으면 하는 바람은 있다.

일테면 솔바람 부는 언덕에 앉아, 지는 해를 바라보며 삶을 관조할 수 있는 사람이면 좋겠다. 소나무 한 그루 외롭게 서 있는 언덕에서 바라보는 일몰이나, 번듯한 건물의 회장님 사무실에서 바라보는 일몰이나 무엇이 다를 게 있겠는가? 세상은 어디서 보느냐가 중요한 게 아니라 무엇을 보느냐가 중요하다고 생각하는 지혜로운 사람이 되고 싶다.

사는 게 너무 힘들다는 친구의 끝없는 넋두리를 마냥 들어 주었으면 좋겠다. 그게 아니고 다른 방법도 있다고, 다른 관점에서 보아야 한다고 상대를 이해시키려 노력하지 않았으면 좋겠다. 이제 나이 60이 넘으면 그것이 옹색하든 비루하든 누구나 그 사람만의 삶이 있는 거라고 인정해 줄 수 있으면 좋겠다. 그저 말없이 들어 주고, 다 듣고 나서 그 친구의 손 한번 꼭 잡아 주면 그만인, 그런 웅숭깊은 사람이 되고 싶다.

누군가 자신의 아픈 곳을 감추고 싶어 머뭇거릴 때, 세상이 하 답답해 무언가 털어놓고 싶은 게 있어도, 체면 때문에 말 못 하고 있을 때, 내 아픔을 먼저 얘기하며 "아 나도 그래요."라고 말할 수 있으면 좋겠다. 그렇게 자신의 상처를 통해 다른 이에게 힘이 되고 용기가 될 수 있도록, 스스럼없이 속마음을 내보일 수 있는 솔직한 사람이 되고 싶다.

식당 계산대 앞에서 '지난번에는 내가 샀으니 이번에는 저 친구가 내겠지'라고 생각하지 말고 '내가 형편이 더 나으니 이번에도 내가 내야지'라는 생각이 들면 좋겠다. 실직한 조카에게 나이 들었으면 스스로 알아서 살아야지, 왜 빈둥거리느냐고 탓하지 말고, 담뱃값이라도 하라며 노란 지폐 한 장 건넬 수 있는 후덕한 삼촌이 되고 싶다.

이루기 벅찬 꿈을 꾸며 넘어지고 또 넘어져도 세상에 힘들이지 않고 얻을 수 있는 것은 없다며 다시 일어날 수 있는 사람, 이제는 더 나아갈 수 없는 어쩔 수 없는 현실의 벽 앞에서도 '그래도 여기까지 왔잖아'하면서 자신을 위로할 수 있는 용기 있는 사람이라면 더욱 좋겠다.

나이 들어 병들고 기운 없을 때, 저이가 죽을 때까지 변치 않고 자신을 잘 돌봐 줄 수 있을까 하는 생각을 내 아내가 하지 않았으면 좋겠다. '저이는 무슨 일이 있어도 끝까지 날 지켜 줄 거야, 어쩌면 나 죽으면 따라 죽을 수도 있어'라고 생각하는 그런 믿음직한 남편이 되고 싶다.

외출 준비를 하면서 쓸 만한 장식품 하나 없다며 투덜거리는 아내에게 당신이 보석이라며 너스레를 떨고, 오늘 만든 음식은 실패작이라며 실망하는 아내에게 그래도 오늘 처음 먹어 보는 음식을 만들었다고 칭찬해줄 수 있는 재치 있는 사람이 되고 싶다.

공부하다 저녁을 못 먹고 늦게 집에 온 딸아이가 냉장고 문을 열었을 때, "아 먹을 게 있었네, 역시 우리 아빠는 그럴 줄 알았어."하는 사려 깊고 애정이 듬뿍 담긴 그런 아빠였으면 좋겠다.

은하수 흐르는 밤하늘을 바라보며 별을 헤고, 우듬지 끝에 걸린 달을 보며 시 한 수 읊을 수 있는 운치 있는 사람은 어떨까?

봄이 오면 꽃이 좋고, 여름에는 시원한 그늘이 좋고, 가을에는 아름다운 단풍이 좋고, 겨울에는 눈 내리는 창밖을 하염없이 바라보는 게 즐거운 낙천적이고 지극히 평범한 사람은 어떨까?

그러고 보니 욕심에는 끝이 없는 것 같다. 누구나 되고 싶어 하는 그렇다고 누구도 될 수 없는 성인군자를 탐하고 있으니 말이다. 그래도 세상에 다시 태어나는 마음으로 시작해 볼 일이다.

마음의 죄

한 해를 보내면서 오랜만에 대학 동창들이 모여 식사를 하게 되었다. 멀리 외지에서 사는 친구들까지 함께 모였다. 젊었을 때는 만나자마자 왜 그리 보기 힘드냐며 또 그동안 어떻게 지냈는지를 물으며 호들갑을 떨었는데, 언젠가부터는 그저 악수나 하고 조용히 자리에 앉는다. 사는 게 별거 있을 게 없고, 더구나 퍽이나 즐거운 일이 뭐 있겠느냐는 표정들이다.

그래도 오랜만에 만났으니 서로 안부는 물어야 하겠기에 돌아가면서 한 사람씩 자신들의 근황을 소개하기로 했다. 자영업을 하는 친구는 나이가 들어 젊은 고객들 상대하는 게 점점 더 힘들어진다고 한다. 단기 계약직으로 일하는 친구는 얼마간 더 일할 수 있어 다행이라고 한다. 그나마 여유가 있는 친구는 취미생활로 소일하고 있단다. 역시나 크게 돋보일 게 없는 그저 그렇고 그런 생활들이다. 젊었을 때는 승진을 했다든지, 새 차를 뽑았다든지, 아니면 좀 더 큰 아파트로 이사를 했다든지 나름대로 대화의 내용에 희망과 활력이라는 게 있었다.

그 시절에는 늘 새로운 것이 있고 자신에 차 있었다. 돈을 벌고 사람을 사귀고 무언가 배우면 눈에 띄게 실력이 향상되었다. 최소한 하루하루 사는 게 지루하거나 밋밋해 보이지는 않았다. 그런데 나이 든 삶은 청처짐하니 활력이 없다. 건강 때문인지 술을 마시는 친구도 별로 없으니 좌중엔 그나마 객기를 부리는 친구도 없다.

그런 생각을 하며 친구들의 근황을 듣던 중 내 차례가 되었다. 나는 피아노 배우는 데 푹 빠져 있다고 했다. 기타 치며 노래하는 게 즐겁다고 했다. 그리고 좀 더 좋은 글이 쓰고 싶어서 방송통신대 국어국문학과에 등록했다고 했다. 순간 몇몇 친구들의 표정이 달라지는 게 역력했다. 무언가 잘못되었다는 생각이 퍼뜩 들면서 후회했지만, 말은 이미 입을 떠나 있었다.

내겐 매일매일 하는 일상적인 생활이었고, 또 그것이 나이 들어 늦게나마 즐거움으로 받아들이며 살아가는 삶의 한 방편이었는데, 누군가에게는 팔자 좋은 사람의 자랑으로 들렸을 것 같다. 그 자랑거리는 비수가 되어 다른 사람들에게 상처를 줄 수 있다는 것을 미처 생각하지 못한, 경솔한 짓을 저지른 것이다.

나는 몇십 년간 공무원 생활을 하면서 단 한 번도 주의나 시정 같은 아주 사소한 징계도 받지 않았다. 그리고 나이가 예순이 될 때까지 운전하면서 한 번도 과태료나 벌금을 물어본 적도 없다. 한때는 그 고루한 삶이 올바르게 살아온 표상인 것처럼 은근한 자부심이 되기도 했었다. 과연 사회적 규범에 어긋나지 않으면 아무런 죄가 되지 않는 걸까? 하느님께서는 생각과 말과 행동으로 죄짓지 말라고 하셨는데, 최소한의 사회적 규범을 지켰으니 떳떳하다고 해도 되는 걸까?

오래전에 알베르 카뮈의 소설'이방인'을 읽은 적이 있다. 주인공 뫼르소는 그의 어머니 장례식장에서 울지 않는다. 그리고 장례를 치르고 며칠 만에 그의 애인과 해수욕을 즐기고 영화를 보러 가기도 한다. 그러다 우연히 살인사건에 연루된다. 그는 결국 사형을 선고받는다. 그런데 그가 어머니 장례식장에서 울지 않은 게 재판관들이 그에게 사형을 선고하는 데 상당한 영향을 미친다. 어머니의 죽음은 살인행위와는 아무런 관련이 없었음에도, 그는 황폐한 인간성의 반인륜적인 패륜아로 매도된다.

알베르 카뮈는 소설을 통해 '어머니의 장례식장에서 울지 않은 사람은 누구나 사형 선고를 받을 가능성이 있는 것인가?'라는 화두를 던졌다. 어머니의 죽음 앞에서 우는 것은 개개인의 감정에 따라 달리 표현될 수 있는 것이다. 너무 슬퍼서 안으로 울음을 삼키는 사람도 있다. 예전에는 초상을 당하면 곡(哭)하는 사람을 사서 유족 대신 울게도 했단다. 인간들이 만들어 놓은 사회적 관습은 일종의 연극이나 유희와도 같은 것인데, 그 연극에 참여하지 않는 것은 죄가 될 수 있다고 카뮈는 소설을 통해 말하고 있었다.

살다 보면 자신도 모르는 사이에 죄를 짓곤 한다. 내 생각이라고 있는 대로 말하는 것, 내 소유라고 마음대로 쓰는 것, 다른 사람의 판단을 제약하는 은근한 압박, 너무 힘들고 아프다는 어쭙잖은 불평, 일그러진 얼굴, 퉁명스러운 말투로 오늘도 나는 무의식중에 얼마나 많은 죄를 짓고 있는 걸까?

알 수 없는 가치

며칠째 머릿속을 떠나지 않는 생각이 있다. 아무리 생각해 봐도 도무지 이해할 수가 없다. 내 지식이 짧은 건지, 이해력이 부족한 건지, 내가 모르는 다른 세상이 있는 건지 답답하기만 하다. 벽에 붙여 놓은 바나나 한 개가 어떻게 1억 4천만 원에 팔리는 걸까? 그 단순한 사실이 어떻게 미술품이 될 수 있고, 또 그것을 어떤 목적으로 사는 건지 이해할 수 없다.

얼마 전 국제미술 장터에서 벽에 테이프로 붙여 놓은 바나나 미술품이 1억 4천만 원에 팔렸다는 기사를 보았다. 더 재미있는 것은 한 행위예술가가 배가 고프다며 벽에 붙어 있는 바나나를 먹어 치웠단다. 1억 4천만 원 상당의 바나나를 간식용으로 먹어 버렸는데, 갤러리 측에서는 그 또한 예술 행위라며 대수롭지 않게 새 바나나를 벽에 다시 붙였다고 한다. 벽에 걸리기 전의 바나나와 벽에 걸렸을 때의 바나나는 과연 어떤 가치의 차이가 있는 것일까?

며칠 지나면 썩어 없어지는 과일이 그 비싼 가격에 팔리는 이유는 무엇일까? 그 미술품에는 내가 모르는 어떤 심오한 의미가 담겨 있는 걸까? 작가는 '코미디언'이라는 이 작품이 주는 메시지가 '세계무역을 상징하고, 이중적인 의미를 가지며, 고전적 유머 장치'라고 설명하고 있다.

흰 벽면을 넓은 바다로 연상하고 바나나를 배로 생각하면서, 세계 각국에 팔려나가는 바나나를 무역의 상징으로 표현한 것일까? 그리고 바나나는 먹기 위한 것이지 벽에 걸고 보는 것이 아니라는 역설적 표현이었을까? 그러면서 그런 발상과 행위 자체가 너무나 엉뚱해서 코미디 같다는 메시지였을까? 그렇다 하더라도 그것을 그 비싼 가격에 사는 이유는 무엇일까? 정말 알 수 없는 일이다.

나는 가끔 인근에 있는 청주시립미술관을 방문한다. 특별히 그림에 관심이 있는 것은 아니고, 그저 도서관에 갔다 오는 길에 들러서 전시된 작품을 둘러보곤 한다. 그저 보이는 대로 쉽게 느낌을 전달받을 수 있는 풍경화나 인물화, 정물화를 기대하며 가지만, 이곳 미술관의 기획전시는 늘 추상미술작품들이 주류를 이룬다. 이해할 수 없는 조형물을 설치해 놓고, 일정한 기준도 없이 선과 면이 이어지고, 다양한 재질의 소품으로 무언가를 형상화해 놓곤 한다.

나는 그럴 때마다 넘을 수 없는 높은 벽과 마주하곤 한다. 전시된 작품들이 주는 느낌을 찾으려 애를 쓰지만, 도무지 이해할 수가 없다. 작품을 설명해 주는 도슨트에게 질문을 해보지만, 그 대답 또한 아리송하기만 하다. 가끔은 잘 아는 큐레이터에게 답답한 마음을 토로하기도 한다. 미술작품이 보는 사람에게 전달해 주는 것이 무엇이냐고도 묻는다. 그럴 때면 으레 감동이라고 한다. 어떤 감동을 받을지는 감상하는 사람의 몫이라고 한다.

나는 왜 그런 감동을 느끼지 못하는 걸까. 내가 모르는 더 높고 고매한 가치의 세계, 이질적이며 낯선 인식의 세계가 있는 걸까. 미술품을 보며 감동을 느낀다는 큐레이터와 그렇지 못한 나는 전혀 다른 감정을 가진 사람일까?

모처럼 겨울다운 날씨다. 차가운 바람이 코끝을 얼얼하게 하고 잔설이 분분히 날리고 있다. 두툼한 파카에 귀를 덮는 모자까지 쓰고 있으니 오히려 추운 날씨가 산책하기 좋다는 엉뚱한 생각이 들었다. 그러다 문득 추운 겨울을 겪는 사람들의 마음이 다 같지는 않을 거라는 생각이 들었다.

가난한 사람들에게는 그저 살기 어려운 계절일 뿐이다. 벌이를 위한 일거리가 적고, 아껴야 할 연탄 한 장과 추위를 막아 줄 따뜻한 옷이 요긴할 뿐이다. 하지만 어떤 이들은 연인과 스키를 타는 계절이고, 누군가에게는 추위를 핑계 삼아 따뜻한 나라로 여행을 할 수 있어서 좋은 계절이기도 하다. 난로 옆에 앉아 창밖을 바라보며 차 한 잔 마시며 한가한 시간을 보내고 싶은 사람도 있다. 그렇게 같은 계절이지만 사람마다 계절이 주는 느낌은 모두 다르다. 미술작품 또한 보는 사람의 생각과 관점, 처해 있는 환경에 따라 다른 것이리라.

백지로 된 책 한 권을 본 적이 있다. 아무것도 적혀있지 않은 책을 보며 오히려 느낌은 다양하고 자유로웠다. 우울할 때 침묵의 작곡가 에릭 사티의 간결하고 단조로운 음악을 들으면서 마음의 평화를 얻곤 한다.

생각을 바꾸면 또 다른 세상이 보인다고 한다. 예술품은 훈련한 만큼 보인다고도 한다. 내게도 언젠가는 미술품을 보며 감동할 수 있는 그 날이 올 수 있겠지, 스스로를 위로해 본다.

산책하고 다녀오면서 동네 마트에 들렀다. 한 다발에 10여 개가 주렁주렁 달린 싱싱한 바나나에 눈길이 머문다. 기사에서 본 바나나를 생각하며, 대충 계산하니 10억 원이 훨씬 넘는 가격이다. 그런데 단돈 3천 원이란다. 이게 웬 횡재인가. 늘 사던 바나나지만 오늘만큼은 특별한 가치로 다가온다. 그래, 이왕이면 행위예술가처럼 비싼 바나나로 생각하고 폼 나게 먹어보자. 바나나 한 다발을 집어 바구니에 담으니 부자가 된 듯 절로 웃음이 나온다.

제 4 부

한여름 밤의 추억

한여름 밤의 추억

지금은 대청호에 수몰된 청주시 상당구 문의면 소재지이던 문산리에서 할머님댁이 있는 산덕리까지는 십여 리 길이다. 문산리에서 버스를 내려 남쪽으로 골목길과 논두렁길을 따라 걸으면 섶다리가 있는 개울이 있었다. 그 다리를 건너면 아름드리 느티나무가 먼저 손님을 맞는데, 노루실이라는 자그마한 동네다. 다시 논두렁길을 따라 한참을 가면 붉은 함석지붕 위로 밤꽃이 하얗게 피던 외딴집이 나온다. 그 근처에 커다란 방죽이 있는데, 거기서부터 조금 가파른 산길이 시작된다. 산길을 반 마장 정도 걸으면 서낭당 고개가 있고, 그곳에서 또 오백 미터 정도 가면 드디어 할머님댁이 있는 산덕리다.

내가 초등학교 6학년 때다. 여름방학에 혼자 할머님댁에 가게 되었다. 섶다리 근처 개울물에 발을 담그고 쉬다가 나도 모르게 송사리 떼를 따라 아래로 내려갔다. 그러다 버드나무에 가려져 있는 너럭바위를 발견했다. 바위는 몇 사람이 둘러앉을 만큼 넓었다. 주변에는 이름 모를 꽃들이 흐드러지고 무성한 나뭇잎은 시원한 그늘을 드리운다. 바위에 누워 하늘을 빼곡히 수놓는 빨갛고 까만 실잠자리를 하나, 두울 세다가 그만 잠이 들어 버렸다.

얼마나 잤던지 깼을 때는 주위가 어둑어둑해지고 있었다. 멀지 않은 곳에 상엿집이 보이며 더럭 겁이 났다. 서둘러 걷는데 시어머니 구박에 못 이겨 대들보에 목을 맸다는 새댁 이야기가 떠오른다. 그러고는 머릿속을 떠나지 않는다. 누가 따라오고 뒷덜미를 잡아당기는 것 같아 머리칼이 쭈뼛 선다. 연신 뒤를 돌아보며 정신없이 걸었다. 발바닥에 땀이 나서 고무신이 자꾸만 미끈거렸다.

그렇게 한참을 오니 저만큼 빨간 함석을 얹은 토담집이 보인다. 날은 이미 컴컴하다. 문득 아이들 간을 빼 먹는다는 문둥이 이야기가 떠오른다. 그 시절에는, 문둥병 앓는 사람은 아이들 간을 먹어야 낫는다는 어른들의 이야기를 그대로 믿었다. 전에 그곳을 지나칠 때는 그 집에 누가 사는지 관심조차 없었는데, 그날따라 왠지 틀림없이 문둥이가 살고 있을 것 같은 생각이 들었다. 머리카락이 쭈뼛해지면서 온몸에 소름이 돋친다. 그 집은 사람들 눈에 잘 띄지 않는 후미진 곳에 있고, 더구나 밤나무가 우거져 으스스하고 음산해 보였다. 문둥이에게 들키지 않으려고 살금살금 발소리를 죽여가며 그곳을 가까스로 통과해서 방죽에 도착했을 때는 온몸이 땀으로 범벅이 되어 있었다.

'어휴 살았구나!'라고 생각하는 순간 갑자기 방죽에서 놀다 물에 빠져 죽었다는 아이들 이야기가 떠오른다. 내가 사는 동네에서는 방학만 되면 아이들이 여름 내내 방죽에서 헤엄을 치며 놀았다. 그러다 물귀신이 살고 있다는 수문水門 근처에 빠져서 끝내 나오지 못하는 일이 생기곤 했다. 그럴 때면 방죽에 가지 말라는 어른들의 불호령이 떨어졌지만, 아이들은 며칠을 못 넘기고 방죽으로 달려갔다. 저만치 어둠 속에서 방죽의 수문이 마치 동굴의 입구처럼 입을 떡 벌리고 있다.

가파른 산길을 정신없이 오르다 무언가에 발이 걸려 넘어졌다. 발을 빼려 해도 발목을 꼭 잡고 놓아 주지 않는다. '물귀신이구나!' 라고 생각하니 온몸에 힘이 빠지며 더는 움직일 수가 없었다. 무엇인지 발아래를 보려 해도 용기가 나지 않는다. 소리를 지르려 해도 겁에 질려 목소리가 나오지 않는다. 겨우 정신을 차려 보니 그령(풀)을 묶어 놓은 것에 발이 끼어 있는 게 아닌가.

벌떡 일어나 뛰어서 서낭당이 있는 고갯마루에 도착했다. 이곳에는 100년 묵은 여우가 살고 있다고 했다. 동네 사람들이 장터에서 술을 마시고 밤늦게 오다 보면 여우가 흙을 뿌리기도 하고, 그 여우에게 홀려 밤새도록 산속을 헤매기도 했단다. 여우가 있을지도 모른다는 생각에 가까스로 서낭당이 있는 산기슭 쪽을 올려다보았다. 그때 은행나무에 감아 놓은 울긋불긋한 오색 천들이 바람에 날리는 것을 보고 나는 그만 혼절할 뻔했다.

그곳에서 동네까지 남은 오백여 미터는 정말로 멀고도 먼 길이었다. 뛰고 넘어지고 다시 일어나고 그렇게 해서 겨우겨우 할머님 댁에 도착했다. 혹시 따라온 것이 없는지를 살피느라, 나는 대문을 붙잡고 한참을 뒤돌아보았다. 그날 밤 내게 세상은 온통 무서운 것뿐이었다.

비

소한(小寒)이 지나고 며칠째 겨울비가 내리고 있다. 강수량도 60미리 가까이 된다니 연중 가장 추워야 할 시기에 겨울비치고는 제법 많은 비가 내리고 있다. 날씨가 푹하니 서민들 살기는 좋겠지만, 그래도 이 겨울비가 지구 온난화 때문이라고 하니 마냥 좋은 일만은 아닌 것 같다.

겨울이 되면서 따뜻한 이불의 온기를 떨치고 일어나는 것이 쉽지 않다. 고혈압이 있는 사람은 새벽에 밖에 나가는 게 위험하다든지, 겨울 미세먼지가 극성을 부린다든지 이런저런 핑계로 새벽 운동을 빼먹기 일쑤였다.

그런데 오늘은 비가 내린다는 이유만으로 밖으로 나갔다. 간간이 물이 고여 있는 보도블록을 지날 때면 찰박찰박 신발에 와닿는 빗물의 살가운 느낌, 빗물에 씻긴 해끔한 공기를 들이마실 때면 박하사탕을 입에 넣었을 때의 화한 느낌처럼 가슴이 시원해진다.

해가 뜨려면 아직 한 시간 정도는 더 있어야 하니 지금 이때가 하루 중 가장 어두운 시간일 것이다. 구름이 두껍게 덮여 있는 하늘,

겨울비에 젖은 나목(裸木), 가로등 불빛을 타고 내리는 빗방울까지 왠지 숙연하고 무거운 느낌을 주는 아침이다.

친구들과 점심을 먹고 밖으로 나오니 비가 꽤 요란하게 내리고 있었다. 그냥 집으로 갈까 하다가 비를 즐기고 싶어서 드라이브를 했다. 그리곤 한적한 곳에 차를 세우고 의자를 뒤로 젖혔다. 차 안에 누워 차창에 흘러내리는 빗물을 보며 빗소리를 듣노라니 문득 어릴 적 생각이 난다.

내가 살던 집은 한옥이었고 처마 끝에 함석으로 된 멋진 물받이 차양(遮陽)이 있었다. 여름날 대청마루에 누워 있으면 함석 차양을 때리는 빗소리가 그렇게 신날 수가 없었다. "타닥타닥 타다닥 탁탁" 빗소리는 그칠 줄 모르고 났고 빗방울의 크기나 바람의 세기에 따라 소리는 다양하게 연출되었다. 그럴 때면 왠지 마음이 편안하고 포근해져서 나도 몰래 잠이 들곤 했다.

대학을 다닐 때는 수업을 받다가 비가 오면 슬며시 빈 강의실로 가서 창가에 의자를 놓고 하염없이 창밖을 바라보곤 했었다. 특별히 기억해야 할 추억이 있는 것도 아니고 또 그리해야 할 무슨 이유가 있는 것도 아니었다. 그저 낡은 건물과 가풀막지고 좁은 골목길이 있는 학교 아래 동네를 바라보다, 지루하면 돌아앉아 고즈넉한 과수원이 있는 안덕벌 쪽을 내려다보며 시간을 보내는 게 고작이었다. 그렇다고 비에 관한 기억이 마냥 좋았던 것은 아니다.

군대에서 졸병 때다. 추적추적 내리는 가을비를 맞으며 며칠째 행군을 하고 있었다. 군화에는 물이 들어차 걸을 때마다 "철버덕 철버덕" 둔탁한 소리를 내고 허벅지는 빗물에 무른 살이 터져 한 발 한 발 내디딜 때마다 쓰리고 아팠다. 추석 전날 저녁이었다. 전

방의 시골길을 비를 맞으며 걷는데 굴뚝에서 하얀 연기가 피어오르고, 툇마루에서는 가족들이 모여 앉아 송편을 빚고 있었다. 순간 그리움과 서러움이 북받쳐 빗물과 눈물이 뒤범벅되어 하염없이 흘러내렸다.

그러고 보면 비가 기쁨이나 환희보다는 슬픔이나 그리운 느낌에 더 가까울 것 같은데, 가끔은 그 비가 그리 친근하고 편안하게 느껴지는 것은 알 수 없는 일이다. 비는 늘 그렇게 두 갈래의 느낌으로 내게 다가오곤 한다.

비가 올 때면 왠지 한가로운 느낌이 들어서 좋다. 날씨가 화창하면 괜스레 무슨 일이라도 해야 할 것 같은 조급한 마음이 들곤 하는데, 비가 올 때는 그냥 쉬어도 될 것 같은 여유가 생긴다. 길을 걷다 소나기를 만나면 남의 집 처마 밑에서 기약도 없이 비가 그칠 때를 기다리곤 했다. 낙숫물 떨어지는 소리를 듣고 있노라면 세상의 한 귀퉁이에 비켜 서 있는 편안함을 즐길 수 있었다. 그럴 때면 빈대떡에 막걸리 생각이 간절해졌다.

비가 오면 왠지 마음이 차분해진다. 포근하고 아늑한 느낌마저 든다. 비가 채색하는 세상은 현란하지 않고 방정맞지 않다. 둔중하고 어두워 조금은 우울하기도 하다. 그래서 아무 말도 하지 않고 별다른 표정도 짓지 않고 억지웃음을 짓지 않아도 어색하지 않다. 나는 그렇게 더러는 있는 그대로의 모습에 충실해지고 싶을 때가 있다.

비가 오면 우산을 쓰고 한적한 시골길을 혼자 걷고 싶어진다. 우산을 쓰고 있으면 내 몸 하나 보호해 줄 수 있는 나만의 작은 공간이 있어서 좋다. 우산이 내 몸을 온전히 가려주지는 않지만, 비를 피할 작은 공간이 있다는 게 커다란 위안이 되고 우산 밖의 세상과 격리된 홀가분한 마음이 된다. 누구에게도 간섭받지 않고 있을 수 있는 작은 공간이어서 좋다. 그 공간은 아주 작지만 불필요한 공간이 없어 더욱 애착이 간다.

비는 누구에게나 똑같이 내린다. 작은 나무에도 큰 나무에도 좁은 뒷골목에도 낮은 지붕 위로도 차별 없이 골고루 내린다. 다른 사람을 위로하는 것은 우산을 들어 주는 것이 아니라 함께 비를 맞아 주는 것이라고 한다. 함께 즐거움을 누리는 것보다, 함께 어려움을 겪어 주는 것이 진정한 친구라고 한다.

비는 그렇게 조금은 눅눅한 기분을 들게 하고 우중충한 색으로 세상을 채색하기에 외롭고 쓸쓸한 사람들의 마음에 좀 더 가까이 다가가게 한다. 비는 늘 그렇게 은밀하고 촉촉하고 호젓하고 포근하게 내게 다가온다.

보이지 않는 적

그날 나는 몇 시간째 부대 담벼락에 기대어 어둠을 응시하고 있었다. 방한복 사이로 파고드는 바람이 차서였을까, 계절은 3월로 접어들었건만 봄은 아직 아득하게만 느껴진다. 미루나무 위초리에 걸린 초승달이 금방 꺼져버릴 듯 희미하게 빛을 잃어가고, 초저녁부터 불기 시작한 스산한 바람은 때늦은 진눈깨비라도 쏟아 부을 듯 날씨는 을씨년스럽다. 저만치 담장 한 귀퉁이에는 서둘러 꽃을 피운 산수유가 겸연쩍은 듯 움츠리고 있다.

적은 언제 어디서 나타날지 알 수 없다. 담장 너머에는 좁다란 오솔길을 끼고 서너 필지의 논이 있고, 그 황량한 논을 지나면 작은 개울이 있다. 적은 아마 그 개울 어딘가에 숨어 있다가 우리의 담을 넘으려 할 것이다. 아니 어쩌면 논의 곳곳에 쌓아 놓은 짚가리 뒤에까지 와 있을지도 모른다.

내가 복무했던 부대는 유사시에 적진 깊숙이 침투하여 임무를 수행하는 것이다. 그래서 일 년에 두어 번씩 침투 및 습격과 부대 방어 훈련을 했다. 훈련 방법은 부대원을 두 편으로 나누어 한쪽

편이 부대를 방어하고 반대편이 그 방어벽을 뚫고 침투하여 주요 시설을 폭파하는 것이다.

방어하는 쪽의 숫자가 월등하게 많아 부대 울타리를 몇 미터 간격으로 빙 둘러싼다. 침투하는 쪽에서는 그곳을 귀신같이 통과하여 지휘본부나 탄약 창고에 '폭파' 딱지를 붙이면 상황이 종료된다. 훈련이 끝나고 난 뒤, 지는 편은 혹독한 대가(얼차려)를 치러야 했기 때문에 어느 한 편도 결코 양보할 수 없는 창과 방패의 치열한 전투가 되곤 했다.

훈련은 언제나 비가 오거나 바람이 불거나 초승달이 뜨는 일기가 좋지 않은 날로 택일이 되고, 임무에 들어가기 전에 양쪽은 모두 얼굴에 검은 칠로 분장을 한다. 특히 침투하는 쪽에서는 눈에 잘 띄는 색깔이 있는 계급장이나 부대 마크가 없는 훈련복으로 갈아입고, 조그만 소리라도 날만 한 물건은 일절 소지하지 못하도록 했다.

본부대에 근무했던 나는 늘 방어하는 쪽에 편성되었는데, 그 또한 그리 쉬운 일이 아니다. 몇 시간을 적에게 노출되지 않게 숨어서 적이 오는 것을 감시해야 하는데, 한 곳을 오래 쳐다보고 있으면 없는 것도 있는 것처럼 보이고, 나무도 사람같이 보이는 착시 현상이 일어난다. '부스럭'하며 청설모나 밤 고양이가 지나가는 소리, 심지어 바람에 나뭇가지 부대끼는 소리에도 깜짝 놀라 모골이 송연해진다. 더구나 시간이 갈수록 춥고 졸린 것을 참는 것은 정말 어려운 일이다.

훈련은 침투하는 쪽에서 이기는 경우가 더 많아서, 언제 어떻게 들어 왔는지 지휘본부나 탄약 창고에는 종종 '폭파' 딱지가 붙어 있곤 했다. 그럴 때면 진 쪽의 부대원들은 당연한 듯이 얼차려를 받곤 했다. 더구나 상대방이 침투했던 동선을 지켰던 부대원은 같은 편에 있었던 동료들로부터의 모진 질책을 감수해야 했다.

보이지 않는 적과의 싸움은 너무 두렵다. 코로나바이러스는 어디쯤 와 있는 것일까? 창밖을 어슬렁거리고 있는지, 턱밑에 와 있는지 도무지 알 수가 없다. 감염 확진자는 수만 명으로 늘었고 사망자도 속출하고 있다. 입에는 마스크를 방독면처럼 쓰고 가는 곳마다 살균제로 손을 씻는다. 식당에 가서 식사하는 것은 이미 금기사항이 됐고, 사람이 많은 곳을 되도록 가지 않은 지도 오래 되었다. 그래도 뭐 별일 있겠냐 싶어 지인들과 함께 식사라도 하고 나면 며칠씩 꺼림칙하다.

그렇다고 집안에만 있기도 답답해서 밖으로 나가면 엘리베이터도 시내버스도 선뜻 이용하기가 꺼려진다. 심지어 길에서 마주치는 사람이 있으면 외면하는 것이 오히려 예의 바른 행동이 되고 있다. 그렇게 정상적인 사회활동이 멈추어 가고 인간관계도 단절되어 가고 있다. 이 지루한 전염병과의 싸움은 언제나 끝날 것인가? 우리는 또 얼마나 큰 대가를 치러야 하는 걸까?

TV 채널을 돌리다 한 곳에 멈추었다. 빌딩은 무너져 내리고 도로에는 풀이 무성하다. 황폐한 도시에는 생명력 강한 야생동물만이 살고 있다. 가까스로 살아남은 인간들은 그나마 물과 전기가 공급되는 한정된 장소에서 처절하게 살아가고 있다. 인류의 멸망은 핵전쟁이나 전염병, 자연재난처럼 결국 인간들의 지나친 탐욕에

의해 초래되고 있었다. 집에 틀어박혀 공상과학 영화를 보고 있다. 가늠조차 할 수 없는 코로나바이러스의 침입을 막기 위해 창문은 단단히 걸어 잠갔다. 봄은 창밖에 와 있는데….

합창의 맛

팽팽한 긴장감이 무대 위에 흐른다. 서치라이트가 무대 위에 도열한 단원들을 환히 비추자, 아트홀을 가득 메운 관중들의 시선이 집중된다. 단원들의 눈이 지휘자의 손끝으로 향하고 "쾅" 피아노의 우렁찬 소리가 울리면서 첫 번째 연주곡인 신의 영광(베토벤 작곡)이 막을 열었다. "저 하늘 주의 영광, 찬양하고 만 백성 노래한다." 조용하던 공연장에 오십 명의 남성들이 뿜어내는 화음이 도도히 울려 퍼지면서 긴장감은 엄숙하면서도 생동감으로 바뀌어 갔다.

남성합창의 묘미는 역시 웅장함이다. 때론 잦아들 듯 느리고 조용하다가, 느닷없이 거대한 파도가 일렁이듯 음률이 객석을 휩쓸고 지날 때면, 연주자와 관중들은 이내 함께 호흡하게 된다. 지휘자의 손끝과 연주자들의 입, 관중들의 눈과 귀가 한곳으로 모아지면서 합창으로 행복한 힐링이 시작된다.

두 번째 무대는 한국가곡이다. 김소월의 시에 곡을 붙인 '진달래꽃'은 우리들의 정서와 잘 어우러져 관객들과 쉽게 동화될 수 있었던 것 같다. '나 보기가 역겨워 떠나가실 때에는 죽어도 아니 눈물

흘리오리다.' 얼마나 역설적이고 자기희생적인 사랑의 표현인가? 이 시가 아름답고 처절한 사랑, 완벽하리만큼 이타적인 사랑을 노래했다고 알고 있지만, 이어령 선생님은 이별의 가정을 통해 강렬한 사랑을 노래한 것이라고 한다. 밤의 어둠을 바탕으로 삼지 않고서는 별빛의 영롱함을 그려낼 수 없듯이, 이별의 슬픔을 바탕으로 하지 않고서는 사랑의 기쁨을 표현하기 어렵다고 하셨다.

그래서인지 이런 노래를 부를 때면 고도의 절제력이 요구 된다. 합창의 매력은 화음이다. 테너와 바리톤, 베이스 등 서로 다른 음역과 음질이 조화를 이루어 아름다운 선율을 만들어 내는 것이다. 어느 한 사람도 도드라진 소리를 내서는 안 된다. 조금이라도 빨라서도 느려서도 높아서도 낮아서도 안 된다. 최대한 자신을 절제하면서 땅 위에 떨어져 있는 진달래꽃을 즈려밟듯 한 음 한 음에 혼신의 힘을 쏟곤 한다. 연주가 끝나자 겨울비가 내리듯 숙연했던 관중석에서 우레와 같은 박수갈채가 쏟아져 나온다.

세 번째 무대는 낭만에 대하여, 그 겨울의 찻집, 동백아가씨 등 대중가요다. 역시 관중들에게 쉽게 접근해서 감성을 만져주는 것은 대중가요인 것 같다. 우리들의 일상적인 생활과 행태가 노래로 만들어졌기에 대중들과 친숙할 수밖에 없다. 그래서인지 연주자들도 조금은 가벼운 마음으로 노래할 수 있었다. 1부와 2부 무대가 엄숙하고 절제된 분위기였다면 대중가요 무대는 마음껏 가슴을 열고 감성에 젖어 들었을 것이다.

연주자와 관중이 마치 겨울날 이른 아침 찻집에 앉아, 첫사랑의 소녀를 생각하는 노래의 주인공이 되지는 않았을까? 이어서 경쾌한 리듬의 캐롤송과 청바지 아가씨를 연주하면서 관중석은 유쾌함으로 들썩였다. 함께 손뼉 치고 환호하면서 공연은 절정으로 치달았다.

피날레를 장식한 노래는 어메이징 그레이스(Amazing Grace)였다. 신의 놀라운 자비를 노래한 만큼 경건하면서도 웅장하고 간절한 기도가 노래에 스미어 있다. 그렇게 2시간 넘게 공연을 하고 관중들의 박수와 환호를 뒤로하며 무대를 내려왔다.

청주남성합창단의 단원으로 노래한 지 이제 6년째다. 퇴직을 몇 년 앞두고 친구의 권유로 시작했지만, 분위기에 적응하지 못해 몇 번인가 그만둘까 망설이기도 했다. 노래 실력도 그렇지만 몇십 년간 공무원 생활만 한 사람이 20대에서 70대까지의 다양한 사람들과 어울린다는 것이 그리 쉬운 일이 아니었다. 물과 기름처럼 겉돌고 이리저리 망설이고, 그러면서 나는 다른 단원들과 하모니를 이루며 조금씩 친숙해졌다.

합창의 매력 중 하나는 배려와 협력일 것이다. 혼자 도드라지면 제대로 된 연주를 할 수 없다. 우리 사는 세상 또한 그렇지 않을까? 서로를 배려하면서 조화를 이룰 때 가정도 사회도 더욱 살기 좋아질 것이다.

노래를 한다는 것은 가슴속에 있는 것들을 끄집어내는 일과 같다. 그것이 벅찬 감동일 수도 있고 맺힌 응어리일 수도 있다. 그것이 마음에 고여 있으면 곪고 상처가 될 수 있지만, 노래로 승화하면 기쁨이 되고 치유가 된다. 이번 힐링 음악회가 자신의 치유는 물론 삶에 지친 다른 사람들에게도 작은 위로가 되었기를 소망한다.

국보제약 골목 사람들

길 양편으로 김밥집과 삼겹살집, 작은 옷가게와 집수리 전문점, 부동산 중개업소 등이 낮은 어깨를 맞대고 나란히 있다. 뒷골목 방앗간에서는 하얀 김이 서린 창틈 사이로 떡 익는 냄새가 구수하게 풍겨 나오는, 화려하지도 번잡하지도 않은 그저 수수하기만 한 동네 안길이다.

좁다란 인도는 주차된 차들이 차지하기 일쑤여서 보행자들은 늘 이리저리 피해 다녀야 하지만, 모두 당연한 듯 불평 한마디 하지 않고 살아간다. 밤이 되어도 화려한 네온사인이나 홍청대는 술집 하나 없지만, 그래도 이곳은 청주시 사직동에서 제일 번화가이다. 이곳의 도로명은 인근에 충혼탑이 있어서 호국로(護國路)라고 한다.

그러나 청주에서 오래 사신 분들은 이곳을 국보제약 골목이라고 부른다. 얼핏 들으면 이 동네에 국보가 될 만한 문화재라도 있는 것으로 오해하기 십상이다. 청주에 공장이 몇 개 없던 시절, 이곳에는 파리약과 모기약을 만들던 국보제약이라는 회사가 있었다. 파리나 모기, 쥐들이 극성을 부릴 시절이니 국보제약에서 생산되는 살충제들이 국보 대접을 받았을 수도 있었겠다. 그런 기억 때문인지 내게는 호국로보다는 국보제약 골목이라고 부르는 게 더 친근하다.

사직동으로 이사 와서 이 길을 걸으면서 출퇴근한 것이 벌써 6년이나 된다. 이 동네는 재개발이 예정된 지역인지라 번듯한 건물이 없는 것은 물론이고 건물이 낡아도 최소한의 개보수만 하며 지내고 있다. 처음에는 왠지 색 바랜 포장지를 보는 것처럼 조금은 우중충해 보였지만, 6년을 한결같이 지나다니다 보니 이제는 낯설지도 불편하지도 않은 그저 정겨운 골목이 되었다.

더러는 비어있는 건물도 있어 을씨년스럽고, 이미 허물어진 채 방치된 건물에서는 나무가 안방을 차지하고 크는지라 흉물스럽기까지 하다. 그래도 이곳은 애써 잘 보이려고 찍어 바르지도 덧붙이지도 않고, 그 속살을 감추려고 하지도 않아 오히려 편안하다. 그래서 그런지 마주치는 사람들에게서 편안함과 정겨움이 물씬 풍겨온다.

도로변에 내놓은 화분에 물을 주고 있는 아름다운 손, 등을 굽히고 힘겹게 쓰레기를 줍고 계신 할머니의 주름진 손, 정성스레 김밥을 말고 있는 곱다란 손, 손님을 기다리는 식당 아주머니의 후덕한 얼굴, 그리고 주인을 만나지 못한 채 몇 달째 진열된 옷가지들이 낯설지 않다.

늦은 밤, 술 한 잔 마시고 이 골목을 걷다 보면, 왠지 많은 이야기가 숨겨져 있는 것 같은 은밀함이 있다. 공부 잘하던 철이가 은행에 취직했다는 얘기, 바람난 분이가 집 나간 얘기, 과일 장사하던 김씨 아저씨가 한밑천 톡톡히 챙겼다는 얘기들이 허물어져 가는 담장 밑에서, 고목이 된 느티나무 아래에서, 지금은 흔적조차 희미한 우물터에서 톡톡 튀어나와 소곤거린다.

그럴 때면 잊혀져 가던 어린 시절의 오래된 기억들이 새록새록 떠올라 미소 짓곤 한다. 용정동 중고개(지금은 아파트가 빼곡히 들어서 있어 흔적을 찾을 수 없다) 위로 보름달이 둥실 떠오르면, 저녁을 먹는 둥 마는 둥 하고 밖으로 뛰쳐나가 쥐불놀이를 했다. 관솔을 가득 담은 깡통에 불을 붙여 휘휘 돌리면 보름달보다 훨씬 큰 불빛이 원을 그리며 돌았다. 햇살이 좋을 때면 동구 밖 언덕에 올라 연날리기를 했는데, 아직도 그 팽팽하게 전해 오던 줄의 느낌을 잊을 수 없다.

학창 시절에 마루에 앉아 기타를 치면, 마주 보이는 담장에 걸터앉아 바라보던 앞집 여학생의 해사한 얼굴도 떠오른다. 지금은 어디서 어떻게 나이 들어가고 있을까? 이 골목을 지날 때면 종종 색 바랜 오랜 추억들이 문득문득 떠올라 감상에 빠져든다.

사람들은 오래된 것을 낡은 것이라고 버리려고만 한다. 오래된 기억들을 부질없는 생각으로 치부하려 하고, 오랫동안 함께 했던 사람들을 쉽게 잊어버린다. 모든 것을 새것으로 바꾸려 한다. 길을 새로 내고 건물을 새로 짓고 새로운 사람을 만나 적응해 간다. 하기야 인류 문명은 그렇게 끊임없이 새로운 것을 추구하며 발전해 왔다.

언젠가 방앗간 집 손녀가 고시에 합격했다는 플래카드가 내걸렸던 자리에 오늘은 '재개발 과연 주민을 위한 것인가?'라는 플래카드가 걸려 있다. 재개발이 되면 힘겹지만 정겹게 살던 이웃들과 헤어져야 한다. 오랫동안 함께 살아온 추억이 깃든 삶의 터전은 없어지고 만다. 고단하고 팍팍한 삶이지만 함께 울고 웃던 이웃들, 정을 나누었던 삶의 터전은 기억 속에 저장해야 한다.

국보제약 골목에는 애써 감출 것도 애써 내보일 것도 없는 서민들의 진솔한 삶이 있다. 오늘도 국보제약 골목에는 국보보다 더 소중한, 소박하고 꾸밈없는 사람들이 정겹게 살아가고 있다.

토룡의 꿈

아파트 뒷산으로 연결되는 산책로에는 꽃향기가 가득하고, 길 위에는 둥지 떠난 지렁이 한 마리가 산책로를 가로질러 부지런히 어디론가 가고 있다. 이른 아침부터 어디를 향해 가는 걸까?

길가에 심어 놓은 꽃나무에 물을 주기 위해 설치한 우물가 배수로는 매우 습해서 지렁이가 살기에 아주 좋았다. 배수로 옆에 자라고 있는 코스모스, 패랭이꽃, 원추리꽃은 토룡이 살기 좋게 적당히 그늘을 만들어 주었고, 바람은 살랑살랑 불어 더 이상 바랄 게 없었다. 꽃들도 "토룡아 우리는 네가 있어 너무 좋아. 네가 있어서 우리는 잘 자랄 수 있어"라고 감미롭게 속삭여 주곤 했다.

'이곳은 정말 살기 좋은 곳이야. 옆에 우물이 있으니 사시사철 물이 떨어질 염려도 없고, 꽃들이 향기를 풍기며 늘 함께 있으니 이렇게 아름다운 곳은 없을 거야. 나는 참 운이 좋은 지렁이야.'라고 생각하며 토룡은 늘 감사한 마음으로 살았다. 며칠 전 흠뻑 내린 비로 토룡은 하루가 다르게 몸집이 커갔고, 열심히 흙을 일구며 땅을 비옥하게 했다.

몸집이 커 가면서 토룡의 생각도 커갔다. 그리고 왠지 이 우물가 주변이 옹색하다는 생각이 들었다. 그러고 보니 냄새도 나고 청결하지도 않은 것 같다. 주변에 있는 다른 지렁이들을 보면 자신보다 몸집이 왜소해서 함께 지낸다는 게 조금은 어울리지 않는 것 같기도 하다.

토룡은 또 생각했다. '나는 다른 지렁이들과는 달라, 이 배수로는 내가 살 곳이 아니야. 처음부터 좀 더 넓은 곳에서 시작해야 했어. 아! 참 답답하다.' 토룡은 언젠가 기회가 오면 꼭 큰 물가에 나가 자신의 위용을 드러내고 마음껏 돌아다녀야겠다고 다짐했다. 큰 물가에 나가보겠다는 열망이 점차 커지면서 가끔은 허황된 꿈을 꾸기도 했다. 큰 물가에 둥지를 튼 토룡은 하루에도 물을 한 동이씩 마시면서 몸집이 자꾸만 커져서 개울이 비좁게 되었을 때, 하늘의 부름을 받아 진짜 용이 되어 하늘로 승천하는 엉뚱한 생각을 했다.

어느 화창한 여름날 새벽녘, 토룡은 이제 이 옹색한 배수로를 떠나기로 결심을 굳혔다. 토룡은 앞에 있는 산책로를 가로지르면 큰 개울이 나오리라 생각했다. 토룡이 크게 기지개를 켜자 몸이 한 뼘은 늘어나는 것 같았다. 건너편까지 해가 뜨기 전에 충분히 건널 수 있다고 자신하고 습지를 떠났다.

비 온 지 얼마 되지 않았지만 한여름의 더위 때문인지 산책로에 있는 흙은 뽀송뽀송 말라가고 있었다. 토룡의 장도를 축하해 주는 듯 매미가 힘차게 울기 시작했다. 매미의 울음소리에 맞추어 토룡은 몸을 쭉쭉 늘어 내키며 앞으로 나아갔다. 길 위로 올라서자 깨알만 한 개미 몇 마리가 시비를 걸어 왔다. 정말 보잘것없는 깨알만 한 놈들이라고 무시하며 앞으로 나아가자, 어느새 수없이 많은 개미들이 앞을 가로막고 덤벼든다.

개미들을 뿌리치고 앞으로 나가려는 토룡의 몸에는 어느새 많은 상처가 나 있었다. 토룡은 어서 빨리 이곳을 벗어나야겠다고 생각하니 자꾸만 마음이 급해졌다. 몸은 마음대로 움직여지지 않았고 개미들의 공격은 더욱 치열해졌다. 어느덧 동산 위로 고개를 들어 올린 여름의 아침 해가 서서히 땅을 달구어 올 때, 매미들의 울음도 목이 찢어질 듯 처절하게 높아져 갔다.

토룡은 후회하기 시작했다. '그래 친구들과 함께 살던 배수로가 좋았는데, 그곳에서는 감히 보잘것없는 개미가 달려들지도 못했는데, 이 뙤약볕 아래서는 정말 어떻게 해 볼 도리가 없잖아.' 괜스레 바깥세상으로 나왔다는 후회에 토룡의 몸은 자꾸만 쪼그라드는 것 같았다.

저만치 꽃들도 애처로운 듯 고개를 떨어뜨리고 바람에 흐느낀다. 개미들은 이제 그 수를 헤아릴 수 없을 만큼 많아졌고, 토룡은 꿈틀거릴 기운조차 없다. 함께 살던 다른 지렁이들, 늘 살갑게 대해 주던 꽃들이 생각났다. 조금 더 잘해 주었어야 했는데, 좀 더 열심히 흙을 일구어 주어야 했다는 부질없는 후회와 함께 기억은 가물가물 흐릿해져만 갔다.

토룡은 하늘로 승천하는 꿈을 꾸고 있었다. 마지막 남은 자신의 몸을 개미들에게 아낌없이 주어야겠다는 생각이 현실인지 아닌지 종잡을 수 없다. 토룡의 몸은 이제 땅바닥에 들러붙어 그 형체를 알아볼 수 없게 되었다. 토룡은 그렇게 용이 되어 하늘로 승천했다.

또 다른 길

어둠이 채 가시지 않은 이른 아침에 녹음이 짙은 숲길을 걷는다. 새벽이슬에 촉촉이 젖은 나뭇잎은 막 샤워하고 나온 여인네의 모습처럼 청순하다. 시원한 바람이 살며시 다가갈 때면 나뭇잎은 이리저리 몸을 뒤치며 수줍은 몸짓을 한다. 무더운 여름이 제철이라고 쉼 없이 하늘을 날던 빠알간 고추잠자리 풀 섶에 날개를 접고 곤히 잠들어 있을 때, 열대야에 잠 못 이룬 딱따구리는 화풀이라도 하듯 "따악 딱" 소리 내어 나무를 쪼아 댄다.

아침에 산책을 시작한 것이 어언 20년이 넘었다. 금천동에 살 때는 김수녕 양궁장 주변에서, 분평동에 살 때는 무심천 하상도로에서, 그리고 사직동으로 이사 와서는 아파트 주변의 야트막한 동산에서 매일 아침 산책을 한다. 우리 아파트에 접해 있는 이 산책로는 타원형의 동산에 둘레길이 있어 아파트 주민들이 많이 이용하는 곳이다. 숲이 우거져 있고 경사가 가파르지 않아, 과히 힘들지 않으면서 오르락내리락하는 재미가 쏠쏠하다. 한 바퀴 도는데 15분 정도 걸려 한번 올라가면 통상 몇 바퀴씩 돌다 내려온다.

나는 늘 시계방향으로 걷곤 하는데, 좁은 오솔길에서 시계 반대 방향으로 걷는 사람들과 마주칠 때면 "안녕하세요, 일찍 나오셨네요."라고 반갑게 아침 인사를 나눈다. 그러던 어느 날이었다. "선생님은 왜 늘 한 방향으로만 걸어요?"하고 마주쳐 지나던 노인분이 내게 물으셨다. "그러고 보니 어르신 말씀이 맞네요. 일러 주셔서 고맙습니다."라고 대답을 한 뒤, 나는 왜 한 방향으로만 걷고 있었는지에 대하여 곰곰 생각해 보았다. 내가 융통성이 없는 걸까, 아니면 변화에 대한 의식이 부족한 걸까, 그저 별다른 생각 없이 남들이 많이 가는 방향을 따라 걸었던 것일까?

그래서 한번 시계 반대 방향으로 걸어 보기로 했다. 걷는 방향을 바꾸니 늘 걷던 길이었는데, 왠지 낯선 느낌이 들었다. 내려가던 길을 올라가고, 올라가던 길을 내려가고, 마주치던 사람의 뒤를 따라가고, 등지고 걷던 해를 바라보며 걷는다. 어제와 같은 장소임에도 주변 풍경이 생경하게 다가왔다.

느티나무 둥치에 가려져 있던 분홍색 패랭이꽃이 눈에 들어오고, 나뭇잎에 가려져 있던 파아란 하늘이 언뜻언뜻 보이고, 등 뒤에 두고 있어 보지 못했던 고즈넉한 오솔길이 보인다. 그리고 늘 뒤따라 걸어서 얼굴을 모르고 뒷모습만 보아 왔던 분들과 마주치며 인사를 나눈다. 이런 변화를 경험하다니 참 신기하기만 하다.

십여 년 전, 직장에서 있었던 일이 떠올랐다. 아침에 출근하여 컴퓨터를 여니 전자우편이 한 통 들어와 있었다. 보은군에서 파견 나와 있던 여직원이 있었는데 파견 기간을 연장해야 할지 고민하는 내용이다. 아무래도 다른 기관에 파견 나와 있으니 모든 것이 낯설고, 먹고 자고 하는 일이 불편했을 것이다. 반면에 새로운 영역에서 새로운 업무를 보면서 모르던 사람들도 사귀면서 좀 더 자기 발전의 기회를 얻고 싶은 욕구도 있었을 것이다.

어떻게 대답해 주어야 할지 고민되었다. 다른 사람의 일에 이게 좋다, 저게 좋다고 명확하게 일러주는 건 쉽지 않은 일이다. 생각 끝에 로버트 프로스트의 '가지 않은 길'이라는 시를 적어서 보내 주었다.

『노란 숲속에 길이 두 갈래로 났었습니다.
나는 두 길을 다 가지 못하는 것을 안타깝게 생각하면서 (중략)
똑같이 아름다운 다른 길을 택했습니다.
그 길에는 풀이 더 있고 사람이 걸은 자취가 적어
아마 더 걸어야 할 길이라고 생각했었던 게지요.』

그 당시만 해도 다른 사람에게는 남이 가지 않은 길을 가라고 조언까지 했으면서, 정작 지금의 나는 아주 사소한 변화조차 주지 못하다니…. 저절로 웃음이 나온다. 물론 산책하는 방향과 근무 기간 연장하는 고민과는 차원이 다른 이야기이다. 하지만 아주 사소한 변화조차 주지 못하고 한 방향만 보며 걷는 사람이, 다른 사람에게는 변화를 두려워하지 말고 남이 가지 않은 길을 가라고 조언을 했다는 게 재미있었다.

시계 방향에서 시계 반대 방향으로 바꾸어 걷는 아주 간단한 방법으로 시선과 시각을 달리하여 또 다른 풍경을 볼 수 있었는데, 왜 그동안 늘 똑같은 방향으로만 걸었을까? 그동안 나는 세상을 볼 때 보고 싶은 것만 보려고 하는 습성이 있지는 않았을까, 내 눈

높이에서 세상을 바라보고, 내가 만들어 놓은 잣대로 세상을 재단하려 하지는 않았을까?

늘 다니던 길, 늘 만나는 사람, 늘 먹는 음식이 편해서, 그것이 습성이 되고 식성이 되어 변화를 주는 게 어려웠던 경우는 없었나? 습관에 젖어 걷던 산책로처럼 내가 만들어 놓은 작고 편향된 프레임에 갇혀 더 넓고 다양한 세상을 보지 못한 적은 없었는지 돌아본다. 오늘 아침, 나는 '늘 변함없이'라는 고정된 관념의 울타리를 살짝 벗어나, 또 다른 산책길을 걸었다.

술과의 동행

내가 처음 술을 마신 것이 초등학교에 들어가기 전 예닐곱 살 때였으니, 술과의 인연이 꽤 오래된 것 같다. 당시 공무원이셨던 아버지는 퇴근하고 일찍 집에 오시는 날이 거의 드물었다. 밤늦도록 술을 마시다 술에 취해 비몽사몽간에 집에 오시는 게 오히려 자연스러울 정도로 술을 좋아하셨다. 그러다 보니 술 때문에 몇 번인가 수술대에 오르는 아픔도 감내해야 했다.

그래서 가끔 어머니는 저녁 무렵이면 나를 아버지 사무실로 보내 퇴근하는 아버지를 모셔 오라고 했었다. 그럴 때면 아버지는 나를 데리고 술을 마시러 다녔고, 재미 삼아 내게도 한 잔 마셔보라고 잔을 내밀고는 했었다. 그리고는 밤이 늦어서야 잠든 나를 둘러업고 애수의 소야곡을 부르며 집으로 향했다.

그 후 내가 본격적으로 술을 마신 것이 고등학교를 졸업하고 나서부터이니 벌써 40여 년이 넘게 술과 벗하고 있는 셈이다. 즐거울 때나 힘들 때나 무료할 때나 늘 함께했던 참으로 질긴 인연이었다. 그러다 보니 술에 대한 추억 또한 적지 않은데, 그 중 기억에 남는 술자리가 있다.

나는 군대 생활을 전방 수색대에서 정보병으로 복무했다. 특수임무를 띤 부대이다 보니 훈련의 강도가 세고, 깡다구를 길러 준다는 이유로 혹독하게 기합을 주기도 했는데, 그런 만큼 회식도 잦았다.

햇볕이 강렬하게 내리쬐이는 연병장에 탁자를 내놓고 회식을 할 때다. 부대장은 신고 있던 군화를 벗어 막걸리를 가득 채워서 부대원들에게 돌렸다. 부대원들은 영광이라는 듯 단숨에 들이켰고, 강렬한 햇볕에 취기가 더 해 이성을 잃고 거칠게 행동하고는 했다. 부대장은 일부러 그런 분위기를 즐기는 것 같았다.

그렇게 회식을 하는 날 밤이면 우리는 으레 팬티 바람에 집합하여 기합을 받는 '빵빠레'라는 걸 했다. 몽둥이에 엉덩이가 얼얼해지고, 연병장을 빽빽 기어 술이 깨고 나서야 잠을 잘 수 있었다. 그때 우리가 땀에 찌든 군화에 막걸리를 따라 마시며 환호했던 것은, 어떤 어려움도 함께할 수 있다는 부대원들의 결의를 촉구하는 일종의 종교의식과도 같은 것이었다.

또 하나 기억에 남는 술자리가 있다. 2005년도 KTX 오송분기역 유치는 충북에는 각별한 의미가 있는 일대 쾌거였다. 오송역이 경부고속철과 호남고속철의 분기역이 됨으로써, 오송은 일약 대한민국 철도 교통의 중심지로 급부상하였다. 오송이 한반도의 철도 X축 형성의 중심지로서, 장래 북한을 거쳐 유라시아에 진출할 수 있는 토대가 마련된 것이다.

온 도민이 환호하였고 유치에 힘을 실어 준 언론인들에게 도지사가 초청하는 축하연이 벌어졌다. 당시 보도계장으로 언론담당을 했던 나는 어떤 술을 준비할 것인가 고민하다 '오송융성주'로 하기로 했다. '오송융성주'라 명명한 것은 오송의 오자를 따서 다섯 가지 술을 섞어서 마시기로 한 것이다. 다섯 가지 종류의 술은 소주, 맥주, 송로주, 공부가주, 양주로 했다. 그리고 그 술을 뷔페식당에서 쓰던 커다란 스테인리스 양푼에 섞었다. 연회에는 도청 출입 기자와 간부 공무원이 참석하였다. 그때 우리는 다섯 종류의 술이 하나로 화학적 결합을 이룬 것처럼 모두 하나가 되어 '위하여'를 외치며 만취했다. 마신 술은 어려운 일을 함께 해냈다는 성취감과 오송의 융성을 함께 기원하는 축복의 술로 승화되었다. 술은 이렇게 많은 사람을 하나가 되게 하고, 그 사람들을 한 군데로 이끌고 가는 마력이 있는 것 같다.

그러나 술자리라는 게 어찌 의미 있는 자리만 있겠는가? 저녁이면 이런저런 이유로 때론 없는 이유도 만들어 고주망태가 되도록 마신 적이 어디 한두 번인가. 세상 살다 보면 술을 통해서 다른 사람들과 소통하기도 하지만, 그놈의 술 때문에 민망하고 부끄러운 일 또한 적지 않다. 술은 인류가 만들어 낸 최고의 음식이기도 하지만, 우리 주변에는 술 때문에 몸 버리고 패가망신한 사람이 너무도 많다.

나 또한 그렇게 술과 함께 40여 년을 살아오면서 그 행태에 몇 번의 변화가 있었다. 내가 40대 초반까지 술을 험하게 마셨던 것은 군대 생활할 때의 폭음하는 습관이 남아 있었던 것 같다. 2차 3차 시간 가는 줄 모르고 마시고 결국 술에 취해 겨우 집을 찾아가고, 다음 날이면 쓰린 속 다스리며 근무하는 것이 술 좋아하는 직장인들의 전형적인 모습이고 나 또한 그랬다.

그러다 내가 술과 어느 정도 타협하기 시작한 것은 쉰 살 무렵이었다. 난 지금도 술을 즐겨 마시지만 몇 가지 지키려고 노력하는 것이 있다. 우선은 술을 마실 때 기분 좋게 마신다. 기분이 나쁠 때는 될 수 있는 대로 술을 마시지 않는다. 기분이 나쁠 때 마시는 술은 건강에 좋지 않다는 게 내 신념이기도 하다. 그리고 절대 2차를 하지 않는다. 결국은 무리하게 마시지 않는 것인데 아무리 좋은 약도 많이 먹으면 독이 될 수 있기 때문이다. 또 한 가지 술을 즐기는 비결은 술 마시고 집에 갈 때는 가급적이면 걸어서 간다. 콧노래 부르며 걷다 보면 술도 깨고 건강에도 좋으리라. 이렇게 쉰 살이 넘어서 마셨던 술은 독보다는 약에 가까웠던 것 같다.

약이 될 수도 있고 독이 될 수도 있는 술! 술꾼들이여, 우리 즐겁게 마시자, 그리고 적당히 마시자.

제 5 부

백로의 꿈

백로의 꿈

그 새를 처음 본 건 지난겨울이 시작될 무렵이다. 처음 보았다기보다는 눈여겨봤다는 게 맞을 것 같다. 이 하상도로는 아침이면 종종 산책하는 곳이고, 그 새도 늘 그 주변에 있었을 텐데, 그때까지는 별다른 관심을 두지 않았었다. 그날은 유난히 춥고 간간이 눈보라가 흩날리고 있었다. 앞만 보고 걷던 나는 걸음을 재촉하다 우연히 하천 쪽을 바라보게 됐다. 그런데 하천의 보(洑)가 있어 물의 흐름이 완만하고 수초가 무성한 곳에 흰 새 한 마리가 서 있었다.

긴 목과 작은 몸통은 온통 흰색인데, 삐죽한 부리와 가늘고 껑충한 다리만이 검은색이다. 하천에는 삭풍이 불고 살얼음이 살짝 얼어 을씨년스러운데, 백로 한 마리가 물속에 긴 다리를 세우고 미동도 하지 않는다. 그러더니 먹잇감을 찾기 위함일까, 수초 근방을 이리저리 배회한다. 발이 시린지 두 다리를 번갈아 디디다가, 시간이 흐르면 이따금 수면 위를 유유히 날다 다시 내려앉기를 거듭했다. 그 후로 아침 산책을 하다 그 새가 있으면 발걸음을 멈추고 바라다보곤 했다.

그 새는 늘 혼자였다. 그리고 조용했다. 마른 억새가 빼곡한 수풀 사이에서 수없이 많은 참새가 모여 재잘거리다가 작은 날개를 푸드덕거리며 날아오르기를 거듭해도, 그 새는 늘 긴 목을 빼고 물속을 응시한다. 가냘픈 목을 쭉 빼고 한참을 움직이지 않고 물속을 바라보다 무언가 발견했는지, 빠르게 물속을 헤집고는 이내 수면을 박차고 날아오른다. 자신의 몸통보다 몇 배나 큰 날개를 펄럭이며 하늘을 나는 모습이 참으로 우아하다. 그 새는 그렇게 하늘을 날기 위해 종일토록 먹잇감을 찾아 개울가를 배회하고 있었나 보다.

그 새에게 유독 마음이 갔던 것은 그만한 이유가 있어서다. 긴 목과 다리가 안쓰러울 정도로 가냘프고 날개가 터무니없이 컸기 때문이다. 긴 부리야 물속에 있는 물고기를 잡는 데 필요하겠지만 목과 다리가 긴 것은 왜일까?

예전처럼 하천에 물이 많이 흐를 때였다면 물속에 있는 물고기를 잡기 위해 목도 다리도 부리처럼 길어야 했겠지만, 이제는 수심이 낮으니 목이나 다리가 길지 않아도 될 것 같았다. 이 하천에서만큼은 목과 다리가 짧은 것이 오히려 사는 데 좀 더 편리하지 않을까.

하지만 이제는 거추장스러워 퇴화해도 될 긴 목과 다리, 큰 날개는 백로의 먹잇감을 구하기 위해서라기보다는, 백로가 세상에 존재하는 이유일지도 모른다. 긴 목과 다리를 일직선으로 쭉 펴고 커다란 날개를 펄럭이며 하늘을 우아하게 나는 것은 단지 살아남기 위함이 아니라, 푸른 하늘을 멋지게 비행하기 위한 백로의 버릴 수 없는 꿈이라는 생각이 들었다.

그런데 이제는 그 새를 볼 수 없게 되었다. 얼마 전부터 보강천 정비 공사를 하면서 개울의 곳곳을 파헤쳐 놓고, 보를 허물고 다시 만들고 있기 때문이다. 그 새는 하천의 상류나 하류 어딘가로 서식지를 옮겼을 것이다.

추운 겨울 눈보라 속에서 먹이를 찾고 있으면서도 우아한 품격을 잃지 않는 그 새를 보면 친구의 얼굴이 떠오른다. 함께 고등학교에 다녔고, 함께 직장생활을 하고, 지금은 이웃에 살면서 자주 어울리는 친구이다. 의협심이 강해 불의를 보면 참지 못하고, 인정이 많아 어려운 사람을 만나면 그냥 지나치지 못한다.

학구열이 높아서 나이 예순에 '손자병법 해설'이라는 책을 발간하고, 뒤늦게 군사학을 전공해서 석사학위를 받기도 했다. 성격이 까칠하고 자기주장이 강해 가끔 다른 사람과 의견 충돌을 일으키기도 한다. 그리고 가진 게 넉넉하지 못해도 자긍심이 강해 절대 움츠러들거나 비굴하게는 못 사는 친구이다.

퇴직하고 나서 우리 둘은 종종 운동도 같이 하고, 노래도 같이 부르고, 때론 격렬하게 담론도 하면서 서로 의지하고 지냈다. 인정과 의리, 신념으로 자신만의 세계를 구축하고, 번잡한 세파에 휩쓸리지 않으려 고집스럽게 사는 그 친구가 조금은 답답하기도 하다. 그런 그의 모습이 백로의 모습과 겹쳐지곤 한다. 험한 세상 살아가는데 불편하기만 할 것 같은 자존심과 신념을 버리지 못하고 자기만의 세상을 고집하는 것이, 터무니없이 긴 목과 다리를 가진 백로와 많이 닮았다.

어제는 그 친구와 마주 앉아 석별의 잔을 나누었다. 노모가 계시는 시골로 들어가 야산을 개간하며 살겠단다. 정이 많이 들었던지 헤어지는 아쉬움에 가슴이 먹먹해 왔다. 보내는 내 마음이 이럴진대 떠나는 친구의 마음은 또 어떨까. 힘든 여정이다. 그래도 삶이 저물어 가는 무렵에 살아서 이루어야 할 마지막 꿈을 향해 떠나는 친구의 모습이 흰 백로의 모습처럼 의연하고 대견스럽다.

친구야! 큰 날개 펄럭이며 너만의 유토피아를 향해 높이 그리고 멀리 날아라.

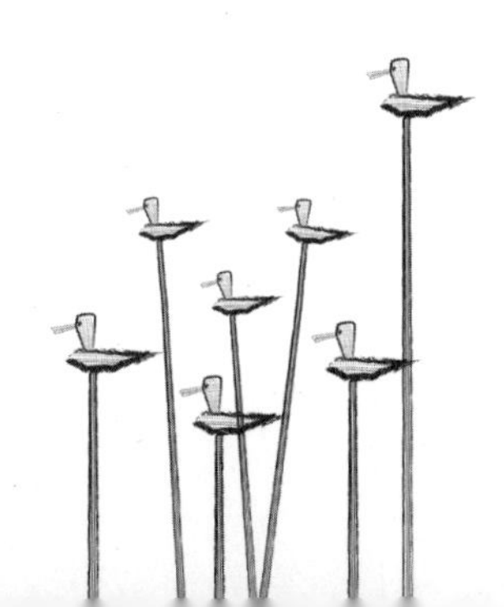

다시 잡은 인연의 줄

하루도 거르지 않고 즐겨 연주하던 기타를 방 한 귀퉁이에 방치해 둔 것이 어느덧 수개월이 되었다. 기타 동아리 활동을 함께 하던 사람들과 한 달 정도만 쉬자고 한 것이, 예기치 않게 '코로나 19'가 발생하면서 중단 기간이 연장되었다. 동아리 활동이 다시 시작되면 연주해야지 하는 생각에 차일피일 미루다 보니 몇 달째 아예 기타를 잡지 않은 것이다. 고등학교 다닐 때부터 배워서 몇 십 년을 친한 벗처럼 동고동락했던 악기였는데, 어찌 이리도 오랫동안 손 한 번 가지 않을 수 있단 말인가.

내가 고등학교나 대학을 다니던 시절에는 포크송에 기타를 치는 것이 대단한 유행이었다. 기타를 둘러메고 다니던 동네 형들의 모습이 하도 멋져서 용돈을 아껴가며 산 담배를 갖다주고, 어깨너머로 기타를 배웠다. 따뜻한 봄날이면 마루에 걸터앉아 '이루어질 수 없는 사랑'을 부르며 청승을 떨었고, 노을이 질 때면 느티나무가 있는 언덕에 올라가 기타를 치며, 당시 유행하던 '사랑해'나 '꽃반지 끼고'를 불렀다. 그럴 때면 왠지 세상의 온갖 아름다운 사랑과 외로움을 혼자만 겪는 것처럼 가슴이 설레곤 했었다.

당시는 군사정권 시절로 학생들 데모가 한창이었다. 대학교 앞에서는 학생들과 경찰들이 대치하는 일이 자주 있었고, 길거리를 지나다 시위대에게 쏜 최루탄을 마시는 경우도 종종 있었다. 그때 데모를 하면서 많이 불렀던 노래가 '아침이슬'이다. '태양은 묘지 위에 붉게 떠오르고, 한낮에 찌는 더위는 나에 시련일지라~' 그 시절에는 이 가사만 들어도 왠지 가슴이 뜨거워지곤 했다. 결국 이 노래는 불러서는 안 되는 금지곡이 되었지만, 친구들과 골방에 앉아 기타를 치며 몰래 부르는 맛 또한 잊을 수가 없다.

한번은 대학을 다닐 때 몇몇 친구들과 제천에 있는 '탁사정'으로 캠핑을 갔었다. 녹음기가 없던 시절에 기타를 치며 노는 것은 정말 즐거운 놀이였다. 물가에 앉아 밤을 새워 술 마시고 기타 치고 노래하며 동해바다로 '송창식'의 고래 한 마리를 잡으러 갔었다. 그러다 그 유흥을 깨지 못하고 돌아오는 길에 열차 안에서까지 떼창을 하다 고성방가죄로 파출소에 붙잡혀 가기도 했다.

기타는 내가 음악을 좋아하게 하는 좋은 매개체가 되었다. 이순이 가까운 나이에 합창단에서 함께 노래하자는 친구의 권유에 망설이지 않고 가입한 것도 오랫동안 기타를 쳤기에 음악이 낯설지 않아서였다. 대중가요만 불러왔기에 가곡이나 오페라 곡을 화음에 맞춰 노래하는 것이 낯설었지만, 기타 치며 노래하던 가락이 있어서 그런지 합창단 활동에 큰 어려움 없이 적응해 나갈 수 있었다. 퇴직하고 나서 여유 있는 시간을 채워 준 것 또한 기타였다. 특별히 하는 일없이 무료한 시간에 기타를 치는 것은 정말 커다란 위안이고 즐거움이었다. 그래서 겁도 없이 몇 차례인가 관중들 앞에서

솔로(solo)로 공연을 한 적도 있다.

기타는 내 삶에 또 하나 큰 선물을 가져다주었다. 피아노를 배우는 계기가 된 것이다. 기타를 친다는 자신감이 있었기에 예순이란 나이에 피아노 배우는 걸 도전할 수 있었으니 어찌 큰 선물이 아니랴. 실제로 기타의 리듬과 악보를 보는 능력은 피아노를 배우는 데 많은 도움이 되었다. 기타는 그렇게 내 삶을 따뜻하게 해준 특별하고도 소중한 인연이었다. 그렇게 행복을 준 기타를 수개월 동안 만져보지도 않고 있었다니 갑자기 미안한 생각이 들었다.

내 삶을 따뜻하게 해주고 행복하게 해준 게 어디 기타뿐이겠나. 기타처럼 내 삶을 따뜻하게 해준 특별하고도 소중한 인연들이 많은데도, 오랫동안 기타를 내버려 두듯 소홀히 하지 않았는지 돌아본다. 되돌아보면 그동안 살아오면서 많은 분의 도움이 있었다. 그 분들의 도움이 없었다면 결코 지금의 내가 없었을 것이다. 직장을 다닐 때는 가끔 식사도 하고 명절이면 선물이라도 보내며 고마움을 표시했었는데, 퇴직하고 나서는 마음에 여유가 없었던지 몇 년째 찾아뵙지 못했다.

어릴 적에 날 업어주고 밥 먹여주고 코 닦아 주었다는 집안 아저씨, 우리 집에 애경사가 있을 때마다 도와주었던 친구, 늘 따뜻하게 대해주고 조언을 아끼지 않았던 선배, 젊었을 때 모셨던 직장의 윗분, 내가 함께 일하면서 고생시켰던 후배들…. 고마운 사람들이 헤아리지 못하게 많다.

한동안 소원했던 것이 죄스럽기만 했다. 같이 밥이라도 한번 먹어야겠기에 날짜를 정해 한 분 한 분 고마운 이들을 떠올려 전화를 드렸다. 서운해 하시지 않을까 걱정했는데 너무도 반가워하신다. 고마웠던 일들을 상기시키니 아직도 그 오래된 일들을 기억하냐며 고마워하신다. 나는 요즘 그분들과 한 끼의 밥을 같이 먹으며, 오래된 인연을 다시 찾는 호사를 누린다. 헤어질 때는 따뜻한 정을 듬뿍 담아 오는 덤까지 챙긴다.

그런 날은 기타를 다시 잡는다. 오늘 되찾은 인연을 대하듯, 부드러운 천으로 기타의 먼지를 정성스럽게 닦는다. 줄을 조이고 늘이며 정확한 음을 찾는다. 튜닝을 하면 오랜만에 만났어도 금시 옛정이 묻어나던 그분들처럼, 기타 역시 맑고 고운 소리를 낸다. 오늘은 왠지 '광화문연가'를 부르고 싶다. "향긋한 오월의 꽃향기가 가슴 깊이 그리워지면 눈 내린 광화문 네거리 이곳에 이렇게 다시 찾아와요" 다시 잡은 인연의 줄 소중히 이어가리라.

길고양이가 준 선물

봄비가 제법 많이 내렸다. 겨우내 얼었던 대지 깊숙이 빗물이 스며들어 땅이 여려지고 얼굴에 와닿는 바람도 순해졌다. 개복숭아나무의 까칠했던 가지가 도톰하게 살이 오르고 목련의 봉오리는 한껏 부풀어 올랐다. 갓난아기 새끼손가락 같은 조팝나무의 앙증맞은 새잎들이 고물고물 피어나고, 노란 산수유꽃이 수줍은 듯 고개를 내민다. 영영 오지 않을 것 같던 봄은 그렇게 어느 날 갑자기 불쑥 찾아왔다.

봄기운이 스몄는지 아침 운동을 하는 내 마음도 선해지고 따스해졌다. 아파트 산책로에 있는 운동기구를 타는 몸놀림이 경쾌하고 콧노래가 절로 나온다. 그때 저만큼 고양이 한 마리가 나타났다. 노란색과 흰색의 털이 적당히 섞인 자그마한 고양이다. 지난겨울 새벽녘에 산책로를 걷다 보면 노란 눈을 번뜩이며 길가에 웅크리고 앉아 있어 섬뜩하니 놀라게 했던 바로 그 고양이다. 나는 원래 고양이를 별로 좋아하지 않았고 더구나 어두운 산책로에서 만나면 몸에 소름이 돋아 피해 가고는 했었다. 그런데 오늘따라 그 고양이가 반가워 입가에 웃음을 가득 머금고 "쯧쯧" 가볍게 혀를 차며 맞이한다.

그런데 이게 웬일인가? 그 자그마한 고양이가 내 옆으로 다가와 쪼그리고 앉는다. 그리곤 운동하고 있는 나를 바라보고 있다. 운동기구를 타면서 고양이를 살펴보니 많이 야위어 있다. 뒷다리 위로 툭 튀어나와 있는 앙상한 뼈가 안쓰럽다. 그러고 보니 털에도 윤기가 없다.

갑자기 가엾다는 생각이 든다. 지난겨울 유난히도 추웠는데 어디서 잤을까? 무얼 먹고 살았을까? 산책로에서 만날 때면 늘 혼자였었는데 같이 몸 기대고 지낼 가족이나 친구도 없는 걸까? 왜 그동안 그런 생각을 한 번도 하지 않고 혐오감을 느끼며 피해 다녔는지, 무심했던 자신이 참 인정머리 없다는 생각이 든다.

한동안 옆에 앉아 있던 고양이는 이내 다른 곳으로 갔다. 소심한 나는 그 고양이에게 손길 한번 주지 못했다. 그저 반가운 척하면서도 등 한번 쓰다듬어 주지 못했다. 더 가까이하면 혹여 앙칼스럽게 할퀴지나 않을까, 영양이 부족해 거칠어진 털에 감염될 만한 것은 있지 않을까, 더 친절하게 하면 성가시게 따라오지나 않을까, 순간이나마 마음속에 애틋한 연민을 느끼면서도 어쩌면 그런 이기적인 생각들 때문에 더 가까이하지 않았던 것 같다.

봄이 오는 아침 길고양이를 만나고 나서 살며시 마음을 흔드는 생각들이 있다. 고양이는 앙칼지고 이기적인 동물이라는 선입견 때문에 늘 거리를 두고 가까이하지 않았다. 하지만 오늘 만난 길고양이는 내가 밝은 표정을 짓고 가볍게 호감을 보이자 선뜻 내 곁으로 다가왔다. 정작 경계심이 많았던 것은 고양이가 아니라 나였다.
어쩌면 지금도 내가 선을 그어 놓고 마음의 문을 열지 못하는 곳에서 누군가는 내가 다가와 손잡아 주기를 기다리고 있는지도 모른다. 나는 지금 그들의 손짓을 못 본 척 외면하고 있는 것은 아닐까.

베풀 줄 모르는 연민은 무의미하다. 마음속에 아무리 많은 생각과 사랑이 있어도 표현하지 못한다면, 행동하지 않는 지성처럼 그저 공허한 것이다. 우리는 베푼다고 하면 으레 물질을 먼저 떠올린다. 하지만 선한 눈빛으로 상대를 바라보는 것, 위로의 말 한마디와 함께 따뜻하게 손잡아 주는 것이, 이 세상을 얼마나 아름답고 살맛나게 하는가?
살면서 참으로 많은 사람을 만났다. 그중에는 몸이 불편해서, 가진 게 없어서, 너무도 외로워서 누군가의 도움이 필요한 사람들도 많이 있었다. '그때마다 나는 어떻게 했나? 마음을 열고 진정을 다해 그 사람들을 대했을까? 마음만이 아니고 정성을 다해 도와주었을까?'를 생각하니 스스로 부끄러운 생각이 든다. 겨우내 외면했던 길고양이가 내 마음속에 작은 감동을 선사해 주었다. 마음이 따뜻해지는 참 좋은 봄날 아침이다.

친구의 얼굴

오랜만에 만난 친구의 얼굴이 왠지 밝지 않다. 그러고 보니 약간은 살이 붙어 있어 중후한 감은 있지만, 얼굴 한구석 수심이 깃들어 있는 듯하다. 그저 무심코 보아왔던 얼굴인데 이제 보니 주름도 많아진 것 같고 피부도 탄력을 잃고 까칠하다. 무슨 걱정거리라도 있는 걸까? 그리 생각해서인지 소주잔을 드는 손에도 힘이 없어 보인다.

참 좋은 친구다. 그리 순박할 수가 없다. 가끔 만날 때면 자신의 말을 하기보다는 다른 사람의 말을 들어 주기를 좋아한다. 그리고 늘 입가에 미소를 잃지 않는 따뜻하고 착한 마음을 가진 친구다. 어찌 보면 적극적이지 못하고 이기적이지도 못하다. 그래서인지 젊어서는 한군데 자리를 잡지 못하고 이곳저곳을 전전하며 직장생활을 했었다. 다른 사람에게 모질지 못하고 자기 입장을 강변하지 못하니, 직장에서 돋보이는 게 쉽지 않았을 것이다.

그러다 쉰 가까이 되어 들어간 회사에서는 중역을 맡아 안정된 직장생활을 할 수 있었다. 누군가 그 친구의 장점을 알아본 것이다. 워낙 성실한 사람이니 믿고 일을 맡길 수 있었나 보다. 친구의 얼굴에는 화기가 돌았고 처진 어깨에도 조금은 힘이 들어간 것 같았다. '아 역시 착한 사람이 복 받는구나!' 그런 생각을 하며 친구의 행복한 마음을 함께 나눌 수 있었다.

그러던 친구가 몇 달 전 만났을 때, 이제는 직장을 그만두어야 한단다. 걱정이란다. 그동안 열심히 일했지만, 겨우 조그마한 아파트 한 채 장만한 것이 재산의 전부란다. 다행인 것은 아들이 취업하여 뒷바라지 걱정은 하지 않아도 되고, 회사에서 몇 달간 봉급을 주기로 해서 당장은 그럭저럭 살 수 있단다.

그러나 얼마 되지 않는 국민연금은 그나마 몇 년 더 있어야 받을 수 있어 일자리를 알아보러 다닌단다. 몇 군데 찾아가서 할 만한 일이 있는지 알아보았지만 여의치 않단다. 젊은 사람들도 취업하기 어려운 세상에 나이가 예순 줄이니 재취업이라는 게 쉬울 리가 없다.

이럴 때 친구라면 어떻게 해야 하는 걸까? 따지고 보면 은퇴자 대다수가 비슷하게 겪어야 하는 일이니 일자리를 만들어 줄 수도, 경제적 지원을 할 수도 없는 노릇이다. 자신 또한 퇴직을 앞두고 있으니 그저 같이 걱정해 주고 좋은 일자리 구할 수 있도록 기원해 주는 것이 전부인 것 같다.

그 후 궁금하여 가끔 전화하면 늘 인근에 등산 중이란다. 누구하고 같이 가지 않고 왜 혼자 갔느냐고 물으면, 그냥 혼자 다니는 게 편하다고 한다. 참 별난 친구다 싶었다. 주변에 은퇴한 친구들이 많이 있으니 힘들이지 않고 동행할 사람을 구할 수 있을 텐데. 산에 갔다가 오면서 막걸리라도 한잔하는 것도 좋을 텐데. 친구들과 어울리는 것을 좋아했는데, 나이가 들어가면서 성격도 변하나 싶었다.

그리고 오늘 날씨도 칙칙하고 기분도 가라앉아 있어, 혹시나 해서 소주 한잔하자고 전화했더니 흔쾌히 받아들인다. 두어 달 만에 만나는 것 같다. 순댓집에 마주 앉았다. 둘이서 마시는 술이라서인지 주거니 받거니 소주잔이 빠르게 돌아간다.

친구가 별말이 없다. 친구의 얼굴이 어두운 것 같아 선뜻 어떻게 지냈는지 묻기가 어색하다. 역시나 아직 일자리를 구하지 못했단다. 이제 다니던 회사에서 월급을 받는 것도 고작 한 달 남았단다. 술 몇 잔 들어가면 걱정거리 접어 두고 큰소리치며 호기라도 부릴 법한데, 분위기는 그렇게 내내 눅눅하기만 하다. 어떻게 위로해 주어야 할까? 친구로서 그저 마주하고 술잔을 기울여 주는 것밖에 무어라 해 줄 말이 마땅치 않다.

친구와 헤어져 무거운 마음을 뒤로하고 버스에 올랐다. 버스 밖에는 어둠 속에서 조용히 눈이 내리고 있다. 차창 밖으로 친구의 얼굴이 어리는 듯하다. 그때 핸드폰에 친구가 보내는 메시지가 뜬다. 『친구야 오늘 반갑고 고마웠어, 사실 보고 싶었는데 주머니 사정이 여의치 않으니 먼저 전화하기가 그렇데』 나도 답신을 보낸다. 『별소리를 다하는구나. 보고 싶을 때 보고 싶다고 하는 게 친구지. 언제든지 생각나면 전화해라』 왠지 쓸쓸하지만 보고 싶은 친구에게 먼저 전화해서 소주 한잔한 것이, 마음에 위안이 되어 준다.

겨울도 막바지인지 차창에 부딪히는 눈송이가 금세 물이 되어 흘러내린다. 가만히 얼굴을 차창에 대어 본다. 차창에 어리던 친구의 얼굴이 와닿는 듯해서인지, 차가운 유리의 감촉이 싫지 않다.

못난이 개복숭아나무

산책길 모퉁이에 못난이 개복숭아나무가 한 그루 있다. 나무의 굵기로 보아 수령은 꽤 된 듯싶은데, 키는 2m가 채 되지 않는다. 썩고 부러진 굵은 가지 아래로 새 가지가 나와 겨우 나무로서의 생명력을 유지하고 있다. 주변에는 단풍나무와 배롱나무, 잣나무 등 여러 종류의 관상수들이 제각기 그 자태를 뽐내고 있어 더욱 초라해 보인다.

내가 이 나무를 처음 본 것이 5~6년 전 즈음이다. 십여 년 전 아파트에 이사 왔을 때 이 나무가 있던 자리에는 키가 크고 수형이 멋들어진 나무가 심겨 있었다. 조경을 위한 관상수고 사람들의 눈에 잘 띄는 산책길 모퉁이였기에, 잘생긴 나무를 심는 것이 당연했으리라. 하지만 그 나무는 얼마 되지 않아 잎을 떨구더니 고사했고, 다음 해 봄에 그 자리에는 다른 나무가 심어졌다. 그런데 웬일인지 새로 심은 나무도 한 해를 넘기지 못하고 고사해서 아쉬움을 주었다. 이듬해 봄에 그 자리에는 또 다른 나무가 심어졌으나 그 나무 또한 살아나지 못했다. 인근에 있는 다른 나무들은 다들 활착을 해서 잘 크고 있는데, 왜 유독 그 자리에 심어지는 나무는 살아나지 못하는지 안타깝기만 했다. '토양에 문제가 있는 걸까, 아니면 일조량에 문제가 있는 걸까?' 이런저런 생각을 해 보았지만 그럴듯한 원인은 알 수 없었다.

그러던 중 심어진 나무가 지금의 개복숭아나무다. 이 나무가 처음부터 가지가 부러진 못난이는 아니었다. 우람하지는 않았지만, 관상수로서 손색이 없는 나무였는데, 심어진 지 얼마 되지 않아 비실비실 말라가더니 일찌감치 잎을 떨구고 말았다. '아! 역시 또 죽는가 보다.' 했다. 그런데 놀랍게도 이듬해 봄이 되자 아랫부분에서 여린 새 가지를 삐죽이 내밀며 살아나는 게 아닌가. 죽었다고 생각한 나무에서 돋아나는 가지가 얼마나 신기하던지…. 기쁜 마음에 아침마다 잎 틔우는 것을 한동안 바라보곤 했다.

나무는 결국 살아나기는 했지만, 새 가지가 나온 부분만 남겨놓고 대부분은 잘라내야만 했다. 나중에 안 일이지만 개복숭아나무는 추위에 익숙하고 야생성도 강해 각종 병이나 곤충으로부터의 공격을 잘 극복해 낸다고 한다. 심지어 인위적으로 비료나 퇴비는 물론, 수분도 공급해 주지 않아야 열매가 단단해지고 저장성이 좋아진다고 한다. 그 척박한 자리에 개복숭아나무를 심은 이유를 그제야 알게 되었다.

나무는 몇 년 전부터 봄이 되면 분홍색 꽃을 피우고 열매를 맺기 시작했다. 어렵사리 살아난 나무에서 피어나는 분홍색 꽃잎이 아름답기도 했지만, 얼마 후 잎 사이로 다닥다닥 맺힌 손톱만 한 열매를 보면, 그 대견함에 가슴이 뿌듯했다.

그런데 어찌 된 일인지 열매가 밤톨만 해지면 모두 없어져 버린다. 더구나 가을로 접어들면 무성했던 잎은 어느덧 지고 앙상한 가지만 드러낸다. 해마다 반복되는 일인지라 역시 나무가 자라기에는 어려운 곳이구나, 생각했다.

올봄에는 혹시나 하는 마음에 다닥다닥 붙은 열매를 적당히 솎아 주었다. 아무래도 너무 많은 열매가 달려 모두 낙과하는 것이 아닐까 하는 생각에 열매를 솎아 준 것이다. 그래서인지 열매는 하루하루 커가면서 어느덧 밤톨만 해졌고, 올해는 잘 익은 과실을 볼 수 있겠다는 기대를 해 보았다.

그러던 어느 날이다. 어둠이 채 가시지 않은 새벽녘에 산책하다 그 나무에서 누군가 열매를 따고 있는 것을 볼 수 있었다. 황당한 마음에 "그 열매를 왜 따세요?"라고 묻자, 그 사람은 미안한 표정을 지으면서 "제가 만성기관지염이 있어서 약재로 쓰려고 합니다. 이 씨를 볶아서 가루를 내서 먹으면 효능이 있거든요."라고 한다. 그제야 열매가 다 익기도 전에 없어졌던 이유를 알게 된 것이다.

그리고 몇 달이 지나서 시원한 가을바람을 맞으며 산책하던 중 개복숭아나무 앞에서 열매를 따던 그 사람을 또 만났다. 오늘은 바구니를 들고 와서 잎을 따고 있었다. 너무도 어이가 없고 화가 나서"선생님 죄송하지만 멀쩡한 나무의 잎을 왜 따고 계세요?"라고 항의하자 머쓱한 표정의 그 남자가 "제가 류머티즘 관절염이 있어서요. 잎을 말려 귤껍질과 섞어 가루 내서 먹으면 효과가 있어서요."라고 대답한다. 조금은 밉살스러웠지만 어쩌랴, 약으로 쓴다는데….

오늘도 산책하다 개복숭아나무 앞에 잠시 머무른다. 주위에 있는 나뭇잎들은 어젯밤 살짝 뿌린 가을비에 젖어 유난히 빛깔이 아름답다. 땅으로 돌아가기 전에 자신의 생명력을 다해 빛을 발하는 것이리라. 유독 개복숭아나무의 가지만 앙상하다. 열매는 고사하고 잎마저 수명을 다하지 못한 채 누군가를 위해 아낌없이 내어준 나무다. 오늘따라 개복숭아나무가 초라하기보다는 더없이 고귀하고 대견스럽게 보인다.

시간여행

누구나 한 번쯤은 타임머신을 타고 시간여행을 하는 것을 상상해 보았을 것이다. 먼 과거로 돌아가 역사 속의 인물들과 어울려 보기도 하고, 그들에게 현대 문명의 지식을 은근히 과시하는 선지자가 되는 것도 좋을 것이다. 아니면 아주 먼 미래로 날아가 몇 백 년 후의 인류의 살아가는 모습을 엿보는 것도 흥미진진한 일이다.

그러나 우주 개척을 하고, 인공지능이나 사물인터넷 등 과학 문명이 최고도로 발달한 지금도 시간을 여행하는 것은 상상에 불과하다. 그래서 가끔은 지나온 삶에 대한 회한과 그리움으로 안타까워하기도 하고, 예측할 수 없는 미래에 대한 불안으로 역술가를 찾아가기도 한다. 하지만 시간은 늘 한 방향으로만 진행하여 단 1초 전으로도 돌아갈 수 없고, 5분 후의 우리 운명조차 가늠할 수 없는 것이 현실이다.

얼마 전 글쓰기 1일 강사를 해달라는 요청을 받았다. 글 쓰는 것도 자신이 없는데, 하물며 다른 사람들에게 강의하는 것이 부담스러워 망설였다. 하지만 거절할 수 없는 분위기라 강의 받는 사람들이 어떤 사람들이냐고 물어보았다. 대개 나이가 칠십 대 전후의 노년층이라고 한다. 문득 나도 십 년 후면 그분들의 연령대가 될 테고, 그러면 그분들과 비슷한 여건에 놓이지 않을까 하는 생각이 들었다. '십 년 후의 내 모습을 가늠해 볼 좋은 기회가 되지 않을까'하는 생각에 승낙했다.

강의실에 들어서니 나이가 지긋한 십여 명의 수강생들이 기다리고 있었다. 먼저 자신의 이름을 소개하고 강의를 시작하려 하자, 어느 남자분께서 대뜸 내 나이를 물어보신다. 나이를 말씀드렸더니 젊어서 좋겠다고 부러워하신다. 나이가 들어가면서 왠지 다른 사람들에게 나이를 밝히는 것이 불편했었는데, 이곳에서는 젊은이란다.

그래서 십 년 후 내 모습을 가늠해 보고 싶어 강의를 나오게 되었다고 솔직하게 말씀드렸다. 그리고 수강생들에게 지나온 삶을 되돌아보며, 과연 후회 없이 살아왔는지 생각해 보라고 했다. 순간 수강생들의 얼굴에 어두운 기색이 역력했다. 그분들이 써 온 글과 대화에서는 그동안 살아오면서 가족들에게 좀 더 잘해 주지 못한 것을 후회하고, 젊었을 때 좀 더 열심히 살지 못한 것에 대한 아쉬움이 짙게 묻어나왔다. 하지만 누구도 시간을 되돌릴 수 없고, 좀 더 나은 삶을 위해서는 지금, 이 순간 최선을 다해 살아야 한다는 말에 모두 고개를 끄떡이신다.

언젠가 '어바우트 타임'이라는 영화를 본 적이 있다. 집안 내력으로 과거나 미래로 시간여행을 할 수 있는 남자가 시간을 이동하며 자신의 삶을 바꾸어 나가는 이야기가 흥미진진하게 전개되는 영화다. 그 영화를 보면서 나도 만약 그렇게 할 수 있다면 어느 시간으로 이동해 볼까 하는 생각을 해 보았다.

어릴 적 할머님댁에 가려면 지금은 대청댐으로 수몰된 문의면 문산리에서 버스를 내려 십여 리 길을 걸어가야 했다. 걷는 게 힘들어 꾀를 부릴 때면 아버님은 내게 등을 내밀며 업히라고 하셨다. 아버지 등에 업혀 가다 보면 따스한 온기가 전해 와 곧 잠이 들곤 했다. 돌아가신 아버지가 그리울 때면, 그 시절로 돌아가 그 따스함을 느끼며 아버지의 등에서 한 번 더 잠들고 싶어진다. 그리고 아버님이 돌아가시기 직전으로 돌아가서 듣지 못하고 보지 못해 늘 안타까웠던, 마지막 유언도 듣고 임종을 지켜보는 것도 좋으리라.

군대에 입대해서 전방 수색대에 근무할 때 어머님께서는 한 달이 멀다 하고 면회를 오셨다. 어머님께서는 고된 신병훈련에 찌든 나를 보며 안타까움에 눈물을 흘리셨고, 나는 반가움과 서러움에 어머님을 끌어안고 한참을 함께 울었다. 이제 연세가 구십이 넘으신 어머님께서는 만날 적마다 인제 그만 죽고 싶다고 하신다. 삶에 지쳐 감정도 눈물도 메마른 듯 표정이 없으시다. 어머님의 사랑이 듬뿍 담긴 따뜻한 눈물에 한 번 더 젖어 보고 싶다. 그리고 한 번쯤은 먼 미래로 날아가 아내와 손잡고 함께 세상을 마감하는 행복한 순간을 상상해 보기도 한다.

그러고 보니 시간여행을 해도 세상을 바꿀 거창한 일을 하는 것도 아닌 것 같다. 지금 누군가를 그리워하며 추모하고 또 가까운 이들에게 살아생전 조금이라도 따스한 사랑을 베풀 수 있다면, 굳이 시간 이동을 하지 않아도 될 일이다. 마치 오늘이 내 삶에 가장 특별한 마지막 날인 것처럼 매일매일 열심히 살아갈 수 있다면, 하늘을 날고 순간이동을 하는 기적을 이루는 것과 무엇이 다르랴.

혼밥

먼저 음악을 준비한다. 노래는 약간 경쾌한 리듬이 좋다. 일테면 가수 이상우씨가 불렀던 '그녀를 만나는 곳 100미터 전'이면 더욱 좋다. 약간은 설레는 마음에 흥겹게 따라 부를 수 있기 때문이다. 프라이팬에 들기름을 살짝 두르고 잘게 썬 김치와 파, 햄을 넣고 약한 불에 익힌다. 이어서 밥을 넣고 밥이 고슬고슬하게 볶아지면 잘게 썬 김을 살짝 뿌려 주고, 그 위에 계란프라이를 얹어 준다. 그러고선 한쪽 다리를 의자에 편안히 올려놓고 점심을 먹는다. 리듬에 맞추어 발가락을 까딱거린다.

점심 식사를 마치고 소파에 깊숙이 묻혀 음악을 듣는다. "흰 눈 내리면 들판에 서성이다, 옛사랑 생각에 그 길 찾아가지… 눈 녹은 봄날 푸르른 잎새 위에, 옛사랑 그대 모습 영원 속에 있네" 이문세씨의 옛사랑이라는 노래가 진한 커피 향과 함께 거실 가득 은은하게 퍼지면, 잠시 옛사랑의 추억에 젖어 든다. 창밖엔 햇살이 폭포처럼 쏟아지고, 파란 하늘엔 구름 몇 점이 정처 없이 노닌다.

혼자 먹는 밥, 혼자 마시는 차, 혼자 듣는 음악, 하지만 이곳엔 외로움이나 처량함이 비집고 들어 올 틈이 없다. 오히려 오랜 여행을 마치고 돌아와 휴식을 취하는 여유로움과 나긋함, 만족감으로 가득하다.

한때 혼자 밥을 먹는 게 불편한 적이 있었다. 불편한 정도가 아니라 서글프기도 했다. 서울에서 파견 생활을 하면서, 처음 얼마 동안은 혼자 밥 먹는 게 싫어 저녁마다 누군가와 약속을 했다. 그러다가 매일 이어지는 술자리가 부담스럽기도 하고, 저녁 시간을 좀 더 유익하게 보내고 싶어서 숙소 주변에서 밥을 사 먹기로 했다. 일찍 숙소로 가서 휴식을 취하며 책이라도 보면 좋겠다는 생각에서다. 하여 숙소 주변의 적당한 식당을 물색했다.

퇴근하면서 사당동 시장 인근의 감자탕집이 눈에 들어오던 날, 곧장 그곳으로 갔다. 초저녁인데도 식당에는 손님이 많다. 몇 명씩 모여 앉아 감자탕에 소주를 곁들이는 사람들도 있다. 혼자 밥 먹는 게 청승맞아 보이지 않을까 하는 생각을 하면서 홀 한구석에 앉았다.

주위를 둘러보니 나만 혼자다. 순간 다른 사람들이 나만 쳐다보는 것 같아 밥을 제대로 먹을 수 없다. 머리를 맞대고 얘기하는 사람들이 '저 사람은 왜 혼자서 밥을 먹지? 혼자 사는 사람인가 친구도 가족도 없는 걸까?'라고 수군대는 것 같아 왠지 초라하고 서글픈 생각이 든다. 허겁지겁 대충 먹고 식당을 나왔다. 나는 그날 이후 혼자 식당에 가서 밥을 먹지 않는다.

이제 직장에 출근하지 않은 지도 벌써 몇 년이 지났다. 아내가 출근한 텅 빈 집에서 혼자 밥 먹는 게 싫어서 처음 얼마간은 매일 점심과 저녁 식사 약속을 했었다. 그게 참 번거로운 일이다. 매일 점심과 저녁을 함께 할 사람을 구하려니 쉽지 않다. 더구나 메뉴를

정하는 것은 함께 식사할 사람 구하는 것만큼이나 어렵다. 누구랑 식사할까, 무엇을 먹을까, 어느 식당이 좋을까를 궁리해 보지만 그리 쉽게 결정하지 못하곤 한다.

그러다 보니 점차 혼자 밥 먹는 일이 잦아졌고, 조금씩 익숙해져 갔다. 처음에는 라면을 끓여 먹고 냉장고에 있는 것을 찾아 먹곤 했다. 그것이 지쳐갈 무렵, 인근에 있는 반찬가게에서 먹고 싶은 음식을 사 오기도 하고, 볶음밥 정도는 직접 해 먹는다. 어차피 혼자 먹는 거면 즐기자는 생각으로 콧노래도 부르며 식사 준비를 한다. 그렇게 식탁은 점차 풍성해졌고 마음 또한 넉넉하고 편안해졌다.

우리 사회에 혼자 사는 사람이 많이 늘었다고 한다. 홀로 사는 세대가 30% 가까이 되다 보니 이제 혼밥과 혼술, 혼영 등 '혼'자가 들어가는 신조어가 많기도 하다. 식당에서는 혼자 밥 먹으러 오는 사람들을 위한 테이블이나 메뉴를 준비하고 있다. TV에서도 혼자 사는 사람들의 일상을 소개하는 프로그램이 인기가 있다.

이제 혼밥은 이상할 것도 서글픈 것도 아닌 일상생활이다. 미혼과 이혼, 고령, 전문직들의 자택 근무가 늘어나면서 혼자 일하고 혼자 생활하는 사람들이 많아지고 있다. 그러니 이제 혼자 있어서 외롭다고 넋두리하기보다는 혼자서 즐기는 방법을 찾는 게 현명하다. 삶은 어차피 무소의 뿔처럼 혼자 가는 거다.

타인과 나 사이

휴일 아침 일찍 벗으로부터 전화가 걸려 왔다. 이른 시간에 통화하는 것이 흔치 않은 일이었지만 별생각 없이 전화를 받았다. 대뜸 "○○○이 죽었어요."라고 말한다. 순간 그 말이 아무런 울림도 없이 일상적인 대화처럼 평이하게 들렸다. "아니 그게 무슨 말이에요. 죽다니요."라는 말 또한 별다른 느낌도 없이 반사적으로 나왔다. 그도 그럴 것이 나이나 건강 상태로 보아 000은 아직 죽음과는 거리가 먼 사람이었기 때문이다.

우리는 합창단에서 함께 활동했었다. 살집이 실팍한 만큼이나 마음도 넉넉한 사람이었다. 행동에 꾸밈이 없고 성품이 수더분해서 다른 사람들과 격의 없이 잘 어울렸다. 나와는 오래된 친구는 아니지만, 동갑내기라서 가끔 같이 술도 마시고 운동도 하곤 했다. 더구나 며칠 후에는 합창단 동갑내기들끼리 충주호 주변으로 여행을 가기로 약속이 되어 있었다.

장례식장은 침통한 분위기다. 얼굴을 비스듬하게 돌리고 찍은 영정 사진은 활짝 웃고 있었다. 얼마 전에 만났을 때도 그렇게 웃었었는데, 이제는 이 세상 사람이 아니라는 게 도무지 실감이 나지 않는다. 장례식장을 나오니 햇살이 따갑고 바람이 선선하다. 파란 하늘엔 뭉게구름이 한가롭게 떠 있어 평화롭기 그지없는 가을날 오후다.

그와 함께 여행을 가기로 한 오늘 아침, 그는 망자가 되어 화장장으로 향했다. 이런 사고가 없었으면 오늘 밤에는 동갑내기들끼리 어울려 충주호를 바라보며 소주를 마셨을 것이다. 이번 여행에는 본인이 직접 만든 맥주를 가져가 시음하기로 했었다. 그렇게 그의 죽음은 전혀 예고 없이 찾아왔다.

나는 갑자기 할 일이 없어진 오늘을 어떻게 보낼 것인가를 생각했다. 갑자기 자신의 건강이 걱정된다. 다른 사람의 죽음 앞에서 내 건강을 염려한다는 것이 참 이기적이라는 생각도 들었지만, 건강검진을 받아 보기로 했다. 혈액검사와 X선 촬영, 소변검사 등 몇 가지만 간단히 받았다.

검진을 받던 중 전화가 걸려 왔다. 한동안 연락이 없던 후배다. 저녁에 약속 없으면 식사나 하잔다. 오늘 같은 날 하루쯤은 조금이라도 경건해야 하지 않을까 하는 생각도 들었다. 하지만 '죽은 자는 죽은 자고 산 자는 또 산 자의 생활이 있지 않겠나' 하는 생각에 무게가 쏠린다. 마침 약속이 없어졌던 터라 쾌히 승낙했다. 그리곤 오후엔 무엇을 할까 생각했다. 피아노 연습을 할까, 인문학 강의를 들을까, 아니면 친구를 만날까. 누군가의 죽음과 아랑곳없이 내 일상은 그렇게 차곡차곡 채워지고 있었다.

타인과 나는 어떤 관계일까. 나 이외의 모든 사람은 모두 타인이다. 내가 존재하지 않으면 다른 어느 것도 무의미하다. 지구는 영혼이라는 하나의 끈에 매달려 있고, 그 끈이 끊어질 때 지구는 멸망하는 것이라고 어느 철학자가 말했다. 그처럼 타인 또한 죽으면 나는 물론 지구상의 모든 것들과의 인연이 끝나는 것 아닌가. 그렇다면 나와 타인 사이에는 아무것도 없는 것일까? 아니다. 가족과 친구, 연인 그리고 사랑과 그리움, 안타까움과 연민 그런 것들이 존재하고 있지 않은가.

얼마 전 가까운 친척이 많이 아프다는 전화를 받고 병문안을 갔었다. 침대에서 겨우 일어나 앉아 있는 수척한 모습에 병이 꽤나 깊은 듯싶었다. 초점을 잃은 눈에는 생기가 없었다. 이제 예순을 갓 넘겼으니 아직은 더 건강해야 할 나이인데, 왜 그리 몸이 상했는지 안쓰럽기만 했다. 어디가 아프냐고 물어보았다. 한참 만에 하는 말이 돌아가신 부모님이 보고 싶단다. 잠이 들면 꿈에 나타나기도 한단다. 살아계실 적에 자주 찾아뵙지 못하고, 병들어 힘겨워할 적에 병간호 한번 못한 것이 그리도 마음 아프단다. 그렇게 그리움과 속죄의 마음은 망자와 산 자 사이의 끈끈한 인연을 놓아주지 않고 있었다.

오늘 유명을 달리한 ○○○과 나 사이의 인연은 어디쯤 놓여 있을까? 산책하며 잠시 망자의 명복을 빈다. 그동안 함께해 주어서 고맙다고, 편안히 잘 가시라고 빌어 주었다. 초록빛 나뭇잎이 가로등 불빛에 반짝이고, 이름 모를 풀벌레들이 쉼 없이 노래한다. 온 누리에 달빛은 충만하고 산책 나온 사람들은 오늘이 아니면 걸을 수 없는 사람들처럼 앞만 보고 열심히 걷는다. 그의 죽음과 관계없이 시간의 수레바퀴는 그렇게 돌아가고 있었다.

제 6 부

그대 곁에 있음에

그대 곁에 있음에

아내는 벌써 며칠째 집에 머물 시간이 없다. 제천에서 화재가 발생해 많은 사람이 참변을 당한 후로 매일 새벽에 들어와 몇 시간 자다 일어나 옷만 갈아입고 나간다. 그리곤 그저께 허겁지겁 짐을 싸서 아예 제천으로 갔다. "고생해서 어떡해, 건강 상하지 않게 요령껏 쉬어 가면서 해요."라는 말에"돌아가신 분들도 많고, 다른 사람들은 현장에 나가서 더 고생하는데 어떻게 그래요."라고 말하고는 집을 나선다. 소방관인 아내의 일을 대신 해줄 수 없는 안쓰러운 마음에 한동안 현관문을 닫지 못하고 서 있어야 했다.

출근할 때는 몰랐지만 퇴직한 이후, 아내가 없는 연휴가 왜 그리 무료하고 울적한지 매사가 시큰둥하다. 일없이 TV만 켰다 끄기를 반복하고, 소파에 기대 멍하고 있다가, 창가에 나가 우두커니 매봉산을 바라보기 일쑤다. 온종일 영화를 3편이나 봤는데, 무엇을 봤는지 기억이 흐릿하다. 여느 때는 아침에 일찍 일어나 산책도 하고 악기도 연주하고 책도 보면서 시간을 쪼개 쓰는데, 도무지 일어나기도 싫고 무언가 손에 잡히지도 않는다.

아내가 집에 있다고 해서 특별히 함께 하는 일도 없다. 살갑게 대화를 나누는 것도 아니고 같이 하는 취미도 없다. 아침이면 출근하고 저녁 먹고 돌아오면 각자 남은 얼마간의 시간을 소모하다 등 돌리고 자기 일쑤다.

내가 악기를 연주할 때면 아내는 책을 보고, 아내가 주방에 있을 때면 나는 컴퓨터 앞에 앉아 있을 때가 많다. 휴일이래야 가까운 산에 트레킹하고 오다가 식사하는 것이 전부다. 그저 가까이 있을 뿐이지 아내가 없다고 내가 할 수 없는 일도 딱히 없는 것 같고, 아내 또한 그런 것 같다.

얼마 전 아내와 사소한 일로 다툰 적이 있다. 다투어 봤자 늘 하루도 못 가 내가 먼저 사과하고 아내가 못 이기는 척 받아 주곤 한다. 그날도 그랬다. 설거지할 때 좀 더 깔끔하게 해달라고 하면서 "다른 집 남편들은 반찬도 잘한다는데"라는 말에 심사가 뒤틀려 버럭 화를 내고 말았다. 아내는 사소한 일에도 넉넉하게 받아 주지 못하는 남편이 원망스러웠겠고, 나는 늘 남편에게 무관심하다며 아내에게 엉뚱한 일로 화풀이하고 말았다. 그리고 이번만큼은 먼저 사과하기 전에는 절대 양보하지 않겠다고 벼르다, 또 하루도 못 가서 제풀에 겨워 누그러지고 말았다.

나는 아내에게 어떤 존재일까? 결혼기념일을 기억 못 하는 남편, 아내 생일이라고 이벤트 한번 마련하지 못하는 남편, 옷차림이 달라지고 머리 스타일이 바뀌어도 알아차리지 못하는 남편이다.

그럼 아내는 내게 어떤 존재일까? 벽에는 그림 한 점이 걸려 있고, 탁자 위에는 화분 한 점이 놓여 있지만 난 평소에 그걸 의식하지 못한다. 그 그림이 있고 화분이 있어 우리 집다운 것을 모르고 생활하고 있다.

아내 또한 몇십 년을 함께 살아오면서 너무도 당연한 듯이 내 곁에 있어서 매사가 무덤덤하니 그 소중함을 잊고 사는 것은 아닐까? 아내에게 해주는 것보다 바라는 것이 많아 사소한 일에도 화를 내는 것은 아닐까? 그러다 잠시라도 곁에 없으면 마음 한구석 텅 빈 것 같아 찾게 되는 그런 존재 아닐까?

한 침대에서 가볍게 코를 골고, 뒤척이고, 서로 가위눌렸을 때 깨워 주고, 자다가 깨면 곤히 잠든 모습 바라보는 것이 행복이었나 보다. 나른한 휴일 아침, 창가에서 매봉산 바라보며 생각에 잠겨 있을 때, 주방에서 나는 칼도마 소리가 감미로운 음악이었나 보다. 설거지할 때 깨끗이 하라고 잔소리하는 것이 아내가 내게 보인 관심이었나 보다. 산책하다 따라오지 못하고 처지는 것은 아내도 이제 나이를 먹은 것을 알아 달라는 질책이었나 보다. 살면서 힘들어도 힘들다고 투정 부리지 않는 것이 남편에 대한 배려였나 보다.

그러고 보니 우리는 그동안 말없이 많은 것을 나누며 살아왔었구나. 사랑한다고 말하지 않아도 당연한 듯이 서로 사랑하고 있었구나. 그저 함께 있어서 힘이 되고 의지할 수 있는 우리는 참 좋은 부부였나 보다.

어머님의 꽃밭

대문을 열고 들어서자 어머님께서 뜨락에 앉아 계신다. 뜨락엔 햇살이 가득하건만 주름진 어머님의 얼굴에는 별다른 표정이 없다. 누가 오나 잠시 살피시더니 크게 반기는 기색도 없이 다시 먼 산을 바라보신다. 그리곤 다가서는 나에게 "맨 아픈 곳이네, 인제 그만 죽으면 좋겠는데, 왜 죽지도 않아. 따뜻할 때 네 아버지 곁으로 가야 할 텐데"라고 말씀하신다. 왠지 눈시울이 뜨거워져 하늘을 바라보았다. 얼굴에서 한줄기 눈물이 주르륵 흘러내린다.

손에 들었던 먹음직스럽게 익은 빨간 딸기를 건네며 "엄마, 이것 좀 드셔봐. 너무 잘 익었네." 그래도 어머님은 고개를 절레절레 흔들며 허공만 바라보신다. 무엇을 바라보고 계시는 걸까, 무엇을 생각하고 계시는 걸까?

어릴 적 내가 살던 초가집 뒤편에는 작은 텃밭과 아담한 장독대가 있었다. 반질반질한 조약돌을 깔아 놓은 장독대에는 크고 작은 항아리가 몇 개 놓여 있었다. 장독대 주변으로는 맨드라미, 채송화, 분꽃, 접시꽃이 옹기종기 피어 꽃밭을 이뤘다. 장독대 옆 담장에는 호박 덩굴을 올려 호박은 물론 호박잎을 따서 반찬거리로 썼는데, 여섯 식구의 입을 만족시키기에는 너무 작은 공간이었다. 그래도 어머님께서는 담장 한쪽은 늘 해바라기와 나팔꽃을 심어 꽃을 피우곤 하셨다.

저녁나절 꽃밭을 가꾸던 어머님께서는 머리에 둘렀던 흰 수건을 풀고 하늘을 바라보며 말씀하시곤 했다. "오늘은 또 어디서 술타령하시나 모르겠다." 그리고 툴툴 털고 일어나 저녁 준비를 하셨다. 나는 그때 장독대 옆 작은 꽃밭은 어머님의 휴식처인 줄로만 알았다.

어머님께서는 아담한 몸매에 조용하고 깔끔한 성품을 가진 늘 새색시 같은 분이셨다. 내 손을 잡고 이웃집에 마실 가는 것과 가끔 시장에 다녀오는 것 외에는 집에서 종일토록 빨래하고 청소하고 텃밭과 꽃을 가꾸는 일을 하셨다.

그런 어머님에게 술을 좋아하셨던 아버님은 많은 시련을 안겨 주셨다. 술 때문에 병원 신세를 자주 져야 했고 죽을 고비도 여러 번 넘기셨다. 그럴 때면 으레 그 뒤치다꺼리는 어머님의 몫이었다. 병간호하랴, 수술비 마련하랴, 돌아가시면 남은 가족들의 생계는 어쩌나, 이런저런 걱정에 어머님의 가슴에는 피멍이 들었을 것이다.

초등학교 2학년 때 이사한 집은 텃밭이 꽤 넓었다. 그곳에 살 때도 아버님은 여전히 술을 좋아하셨고, 어머님은 더 열심히 꽃밭을 가꾸셨다. 칸나와 튤립, 모란과 작약, 불두화, 라일락, 목련 등 꽃의 종류와 꽃밭의 크기만 달라졌지, 시간만 나면 꽃밭 가꾸는 것은 여전하셨다. 어쩌면 꽃을 가꿀 때만큼은 잠시나마 시름을 잊고 가슴에 담고 있는 아픔을 달랬는지도 모른다. 그렇게 꽃밭은 어머님의 답답하고 심란한 마음을 다스리는 도량이기도 했다.

그런 중에도 어머님께서는 나에 대한 사랑을 소홀히 한 적이 없었다. 어려운 형편에도 때만 되면 먹고 싶은 게 무언지 물으셨고, 도시락밥 위에 달걀부침을 얹어 주셨다. 군대에 가 있을 적에는 한 달이 멀다 하고 면회를 오셨다가 울며 돌아서곤 했다. 그런 어머님이기에 내게는 더없이 고맙고 소중한 절대적인 사랑의 대상이었다.

그러다 모자 관계가 다소 소원해지는 일이 생겼다. 아버님이 돌아가실 무렵이다. 병수발을 하시던 어머니는 지난 세월 아버지께 서운했던 일들을 쏟아 놓으시면서 원망하셨다. 어머님도 몸과 마음이 고달프니 그랬을 거다. 정도가 지나치다 싶어 만류했지만 그칠 줄을 모른다. 그런 어머님을 이해하기보다는 이제 그만했으면 하는 야속한 마음이 들면서, 어머님에 대한 애틋한 정마저 멀어져 가는 듯했다.

그러다 아버님께서 돌아가시고 장례를 치르던 날, 어머님은 눈물을 펑펑 쏟으시며 서럽게 우셨다. 그 이후로 아버님을 원망하는 말을 일절 하지 않으신다. 오히려 하루라도 빨리 아버님 곁으로 가고 싶어 하신다. 먼 산을 바라보며"내가 그렇게 네 아버지 원망했는데, 나 반갑게 맞이해 주실까?"라고 묻는다. "그럼 당연하지, 아버지가 돌아가실 때 엄마만 찾았는걸."하고 대답하는 내 눈에 또 눈물이 그렁그렁 맺힌다. 아버님을 보내드리던 날, 어머님께서는 잃어버렸던 꽃밭을 마음속에 다시 품게 되었나 보다.

소중한 아내

암 수술을 받고 퇴원한 지인을 만났다. 다행히 일찍 발견하여 다른 부위로 전이가 되지 않았고, 수술이 잘되어 얼마간 요양하면 완쾌될 수 있다고 한다. 수술을 받기 전 불안해하고 의기소침해 있던 모습과는 달리 자신감을 찾아가고 있었다.

그분은 병고를 거치면서 가족의 소중함을 새삼 느꼈다고 한다. 자신이 위급할 때 그 아픔을 가장 절실하게 나눌 사람은 가족밖에 없었다고 한다. 하지만 아내나 자녀들 또한 직장을 다니고 있어, 결국 많은 시간을 병실에서 혼자 보낼 수밖에 없었단다.

암세포가 얼마나 전이된 건지, 수술이라도 할 수 있는 건지, 하게 되면 완치가 되는 건지 예측할 수 없는 자신의 운명 앞에서 하루하루가 너무도 힘들고 불안했단다. 그때마다 가족들을 생각하며 이겨냈다고 한다. 세상을 살다 보면 수많은 사람과 인연을 맺고 있지만, 결국 마지막 가는 길에 곁에 있어 줄 사람은 가족이고 그중 아내라는 것을 절실히 느꼈다고 한다.

문득 30년 전 있었던 일이 생각났다. 내가 도청 비서실에서 내근을 하며 근무할 때 일이다. 당시만 해도 비서실에는 비서실장과 수행비서, 내근비서, 여비서가 전부였다. 그러다 보니 비서실 내부에서 처리해야 하는 모든 사무적인 일을 혼자서 해야 했기 때문에 잠시라도 사무실을 비우기가 쉽지 않았다. 실제로 1년 동안 근무하면서 단 하루도 쉬지 못했고, 매일 밤 11시 전에는 퇴근하지 못했다. 집안일을 거드는 것은 상상도 못 할 형편이었다. 그러니 아내 혼자서 직장 생활하랴, 아이 키우랴, 집안일 하랴, 그 고생이 얼마나 컸겠는가?

그러던 중 아내는 건강이 좋지 않아 병원에 가야 할 일이 있었는데, 사무실을 비우기 어려웠던 나는 함께 가지 못했다. 시내 모 병원에 가서 진료를 받았는데, 좀 더 정확한 진단을 위해 종합병원에 가 보라는 의사의 소견을 듣고 내게 전화했다. 종합병원으로 가서 정밀진단을 받으라는 걸로 보아 상태가 가볍지 않았으니, 나는 보호자로서 당연히 동행해야 했지만 일 때문에 그러지 못했다.

아내를 혼자 보내놓고 죄책감에 안절부절못하던 나는 점심시간이 되어서야 성모병원으로 갔다. 당시만 해도 이동전화가 없던 시절이니 병원에 가도 아내를 만난다는 보장도 없었다. 차를 타고 가면서 느꼈던 나쁜 남편이라는 자책감과 불안은 몇십 년이 지났지만, 아직도 가슴에 그대로 남아 있다.

혼자서 얼마나 서러울까, 못 만나면 어떻게 하나, 나쁜 결과가 나왔으면 어떻게 하나, 이런저런 생각을 하며 초조한 마음으로 병원에 도착했을 때, 아내는 병원 로비의 대기석에 앉아 눈물짓고 있었다. 병원에서 당장 입원하여 수술을 받으라고 했단다. 혼자서 얼마나 무섭고 막막했을까? 나쁜 남편이 얼마나 원망스러웠을까?

담당 의사를 만나 다른 방법이 없는지 상담을 해 보니, 그리 급한 건 아니지만 어차피 해야 할 거면 지금 하는 게 좋겠다는 소견이었다. 결국, 우선 약으로 치료를 하다가 한여름을 보내고 선선한 가을이 되어 간단한 수술을 하고 회복할 수 있었다.

부부로 살아오면서 아내를 서운하게 한 것이 어디 이것뿐이겠는가? 하지만 아내가 소중하지 않고 사랑하는 마음이 부족했기 때문에 소홀했던 건 아니다. 어쩔 수 없는 상황이었기에 혼자 보낼 수밖에 없었지만, 어렵고 힘든 시간을 혼자 감당해야 했던 아내의 마음도 그렇게 관대했을까? 아무리 소중한 것이라도 그것을 적절히 표현하지 못하고 소중하게 관리하지 못한다면 그것은 진정 소중한 것이 아닐지도 모른다.

출근 준비를 하는 아내의 화장대 앞에 장신구가 즐비하다. 웬 보석들이 이렇게 많으냐고 한마디 하자 “이거 다 모조품이에요, 언제 제대로 된 목걸이 한 번 사줘 봤어요?”라며 샐쭉한다. 그 말에 “아니 당신이 보석인데 무슨 보석 타령이야”라며 엉겁결에 아내를 보석이라고 말해 버렸다.

아내의 투정 섞인 말에 임기응변으로 ‘당신이 보석’이라고 말했지만, 그것은 진심이었다. 함께 지지고 볶으며 살다 보면 그 소중함을 인식하지 못하고 지내게 된다. 또 너무도 당연해서 표현조차 하지 않는다. 마치 물이나 공기의 소중함을 평소에는 모르듯이….

하지만 아내가 아프거나 며칠간 자리를 비웠을 때 그 소중함을 알게 된다. 나이가 들면서 점점 더 아내의 소중함이 절실해진다.

서로 편안한 안식처가 되어 주기 때문이다. 이러한 마음을 늘 간직하기 위해 핸드폰에 아내의 이름 대신 '소중한 아내'라고 입력해 놓았다. 전화할 때나 받을 때마다 아내의 소중함이 핸드폰 화면에 새록새록 새겨진다.

아빠의 뒷모습

회룡포를 한눈에 내려다 볼 수 있는 곳이 비룡산이다. 장안사에서 비룡산 정상까지는 과히 멀지 않지만 '소망의 단'이라 명명된 가파른 계단을 올라야 한다. 소망을 빌면서 이 계단을 오르면 회룡포 전망대가 있다.

전망대에서 천둥과 번개까지 동반한 요란한 소낙비를 만나 꼼짝없이 갇히게 되었다. 그곳에는 나처럼 비를 피한 노부부가 이야기를 나누고 있었다. 우연히 그들의 대화를 듣게 됐다. "여보 이제 그만 풀어야지요. 벌써 몇 년째 얼굴도 안 보고 살았는데, 이대로 죽을 수는 없잖아요." 그래도 남편은 말이 없다. "부처님께 빌면 뭐해요. 정작 당신 마음이 돌아서지 않는걸요."그제서야 남편이 불편한 심기를 드러낸다. "내가 지놈을 어떻게 키웠는데 그럴 수가 있어, 지놈이 찾아와 빌고 빌어도 용서할까 말까인데 내가 어떻게 용서해"라고 한다. 짧은 대화였지만 그 속에는 사랑과 원망이 함께 묻어 있었다.

부모와 자식이라는 게 가장 큰 사랑을 주고받을 수 있는 관계이지만, 그렇지 못하고 상처를 주고받는 것을 종종 볼 수 있다. 사랑한 만큼 실망도 크기 때문이다. 안타까운 마음을 뒤로하고 소망의 단을 내려오자니, 딸들의 모습이 눈에 아른거린다.

첫 아이 결혼식 하던 날이 떠올랐다. 신부 입장을 하려고 예식장 입구에서 팔짱을 끼고 서있자니 만감이 교차한다. 맞벌이하느라 할머니에게 맡겨 키웠기에 남들처럼 부모의 정을 충분히 주지 못했다. 온종일 할머니와 있다가 저녁 무렵이면 큰댁 가게 문간방에 나와 우리가 올 때를 기다렸다. 야근 때문에 퇴근이 늦는 날이면 가게 앞을 서성이며 애태웠다.

부모의 정이 부족해서였던지 다소 냉정하면서도 매사에 도전적이다. 체구는 작아도 늘 자신감이 넘쳤고, 의지가 강했다. 대학에 진학할 때도 대학과 학과를 혼자 결정했다. 서울에 가서 겨우 침대 하나와 손바닥만 한 책상이 놓인 쪽방에 남겨 두고 오자니, 미안하고 불안한 마음이 가시지를 않았다. 대학을 다니고 해외 인턴을 다녀오고 취업을 하고 좋은 남자를 만나서, 오늘 예식장에 서기까지 모든 것을 혼자서 해냈다. 그래서 우리는 그 아이를 독립군이라고 불렀다.

작은 아이는 형수에게 맡겨져 자랐다. 태어나서 얼마 동안은 주말에만 집으로 데려왔기에 부모라고 해야 얼굴도 몰랐을 때다. 틈틈이 얼굴을 보러 갔다가 돌아서 나오려면, 아무것도 모르는 어린 아이가 떨어지지 않으려고 오랫동안 울곤 했다. 집으로 데려와서는 한동안 우리보다 형수 내외를 더 좋아해서 내심 많이 서운했었다.

중학교 다닐 때는 공부를 안 해서 얼마나 애태웠는지 모른다. 그러던 중 한번은 다른 아이들은 꿈이 있는데 자신은 꿈이 없다며 울음을 터트렸다. 함께 울었다. 그 아이는 꿈이 없다는 것을 알고부터 꿈을 갖게 되었다. 그리고 강해졌다. 본디 인정이 많고 밝고 성실한 아이다. 청각이 손상돼 제대로 대화할 수 없었던 할아버지와 치매기가 있는 할머니와 짜증 한번 내지 않고 몇 시간씩 놀아주었다. 그러면서도 성질이 급해 나와는 가끔 충돌하기도 했었다.

그런 딸들에게 많은 시간 함께 하지 못한 것이 늘 미안하고 후회스러웠다. 가르침과 정을 주기는 고사하고 가족끼리 제대로 여행조차 하지 못했다. 내가 퇴직하고 나서야 온 가족이 함께 몇 차례 여행을 갔다. 이탈리아 시칠리아섬에서, 일본 홋카이도섬에서 함께 먹고 자고 관광을 하면서 많은 대화를 나누었다. 정말 꿈같이 즐겁고 행복한 시간이었다.

나는 우리 딸들에게 어떤 아빠였을까? 늘 바쁘다는 핑계로 함께 어울리거나 살가운 대화를 나누지 못했다. 그러다 성적표 받아보면 좀 더 열심히 하라고 다그치고 윽박지르기 일쑤였다. 못마땅한 일이 있으면, 이해하려 들기보다는 참을성 없이 큰 소리가 먼저 나갔다. '그럴 만한 사정이 있었겠지'하고 헤아려 주지 못하고 내 잣대로만 아이들의 생각과 행동을 재단하려 했다.

'당신의 아이는 당신의 아이가 아니다. 그들은 그 자체를 갈망하는 생명의 아들딸이다. 그들은 당신을 통해 왔지만, 당신으로부터 온 것이 아니다. 그들의 정신은 당신이 방문할 수 없는 내일의 집에 산다.'라는 칼릴 지브란의 말이 생각난다.

퇴직하고 집에 있는 시간이 많아졌다. 틈틈이 딸들과 대화하고 전화를 주고받는다. 마음에 드는 글을 주고받고 카톡으로 의견을 나누기도 한다. 그러면서 조금씩 서로를 이해하게 되고 정을 나누고 있다. 그저 있어 줘서 고마운 딸들이다.

아이들은 부모의 앞모습을 보고 배우는 것이 아니라 뒷모습을 보고 배운다고 한다. 잔소리하고 간섭하기보다는 묵묵히 지켜보며 격려해 주고 싶다. 이제라도 딸들에게 작으나마 위로가 되고 희망이 되는 아름다운 뒷모습을 가진 그저 있어 줘서 좋은 아빠이고 싶다.

양파 껍질처럼

이른 아침 산책길에서 작은 꽃 한 송이를 만났다. 길가 풀 섶에 핀 샛노란 꽃이다. 이슬을 담뿍 머금은 꽃잎은 순한 아침 햇살을 받아 맑고 투명하다. 너무도 선명한 노란 빛깔이 청순하다 할까, 화사하다 할까? 네 장의 꽃잎이 서로를 보듬어 안은 작은 봉오리를 한참이나 바라보았다. '달맞이꽃일까?'

요즈음 산책을 나가면 늘 그 꽃 앞에 머무르게 된다. 그리고 그 꽃의 이름이 '낮달맞이꽃'이라는 것도 알게 되었다. 하기야 낮달도 있으니 달맞이꽃이 낮에 피는 게 이상할 것도 없다. 왜 하고많은 들꽃 중에 유독 그 꽃에 눈길이 머무는 걸까? 그 꽃을 보면서 머릿속에 떠오른 모습이 있었다. 아내의 결혼식 때 모습이다. 샛노란 한복을 입고 폐백드릴 때의 곱고 청순한 모습이 꽃잎에 겹쳐져 보인다.

이십 대 초반 젊디젊은 나이에 나를 만나 오빠라 부르며 서로 사랑했던 아내다. 얼굴이나 마음에 잡티 하나 없던 시절, 아직은 이르다 싶은 나이에 자신의 모든 것을 맡기고 내게 시집왔다. 그 후 아내는 그 한복을 입지는 않았지만 오래도록 장롱 속에 소중하게 간직했었다. 세월이 흘러 나는 노란 한복을 입은 청순한 아내의 모습을 잊고 살아왔는데, 아내는 그 노란 한복을 통해 신혼의 달콤한 순간들을 떠올렸는지도 모른다.

내가 아내를 처음 만난 것은 공무원 신규교육과정에서다. 함께 8주간 교육을 받으면서, 여고생의 이미지를 채 벗지 못한 단발머리 아가씨에게 눈길이 갔다. 교육 중 몇 번 인사를 나누었지만, 특별히 가깝게 지낸 적이 없었다. 더구나 제천소방서에 근무하는 것으로 내정돼 있던 터라 별다른 인연 또한 예감하지 못했다.

그렇게 교육을 마치고 서로의 근무지로 발령을 받고 생활하던 중 우연히 그녀를 만났다. 택시를 타고 가던 그녀가 거리를 걷고 있던 나를 보고 반가운 마음에 내렸다. 반가움과 궁금함이 교차하면서 사연을 듣고 보니, 교육을 받고 나서 근무지가 변경되어 청주소방서에 근무하고 있단다. 그 후 우리는 자연스럽게 오빠와 동생의 관계로 자주 만났다. 전혀 예상치 못한 참으로 운명 같은 인연이었다.

나이 차이가 다소 있었기에 처음에는 연인 관계라기보다는 그저 교육을 함께 받은 동료의 입장이었다. 우리는 무심천 제방에서 자전거를 타고, 그녀의 자취방 근처 놀이터에서 그네를 타기도 했다. 그러다 정이 들어 결혼했다. 그래서인지 결혼하고 난 뒤에도 내겐 아내가 연인이라기보다는 내가 책임지고 보호해야 할 가족이라는 관념이 훨씬 더 강했다.

나이 차이가 점차 허물어지고 남편과 아내의 관계로 전환되면서 아내는 굳이 오빠라는 말을 하지 않는다. 오빠라는 말이 그리워 한

번 불러보라고 해도 굳이 사양했던 이유는 무엇일까, 아내는 연인 같은 부부가 되기를 바랐던 걸까? 어쩌면 좀 더 고상하고 열렬한 사랑을 해 보고 싶었는지도 모른다. 아이들을 낳아 키우고, 직장생활은 더욱 바빠지고, 우리는 그렇게 연인으로서의 뜨겁고 달콤한 정을 나눌 겨를도 없이 훌쩍 나이가 들어 버렸다.

요즘 노래방에 가면 아내가 부르는 애창곡은 혜은이가 불렀던 '열정'이다. "만나서 차 마시는 그런 사랑 아니야, 전화로 얘기하는 그런 사랑 아니야(중략) 활화산처럼 터져 오르는 그런 사랑"을 열창한다. 그럴 때면 왠지 조금은 미안하기도 하고, 한편으로는 아쉽기도 하다. 그래서 가끔은 이제라도 연인 같은 부부가 되고 싶은 마음에 아내에게 은근히 애정 표현을 해 보지만, 아내는 시큰둥한 표정이다.

나는 아내에게 좋은 남편일까, 우리는 금슬 좋은 부부일까, 어떻게 해야 더 좋은 연인 같은 부부가 될 수 있을까? 불현듯 얼마 전 누군가를 만났을 때 들었던 말이 떠오른다. "부부관계가 왜 늘 무덤덤한 줄 알아, 늘 똑같은 모습이라서 그래. 어제와 오늘이 똑같고 그저 그 나물에 그 밥이라면 사는 게 너무 지루하고 재미없잖아. 양파 껍질을 한 꺼풀 벗기면 또 다른 껍질이 나오는 것처럼 늘 새로운 모습을 서로에게 보여줘야 해."

어느 시인은 '밖에서 그토록 빛나고 아름다운 것, 집에만 가져가면 꽃들이, 화분이 다 죽었다.'고 읊조렸다. 다른 사람의 눈으로 보면 반짝반짝하는데, 왜 부부의 눈으로 보면 시들해지는 걸까?

너무도 가까이 당연한 듯이 있어서 서로의 가치를 잊고 사는 거다. 서로에 대해 너무도 잘 알아서 이제는 더 이상 신기할 것이 없는 거다. 부부가 양파처럼 벗기고 또 벗겨도 새로운 껍질이 나오는 모습일 때, 연인 같은 감정이 생길 텐데. 그것이 서로에 대한 진정한 배려일 진데.

휴일 아침 오랜만에 김치찌개라도 할 양으로 이것저것 재료를 찾고 있을 때, 잠옷 차림의 아내가 부스스 눈을 비비며 주방으로 들어온다. 연애하던 시절 생각에 잠겨 있다 보니 잠옷 차림의 아내가 옛 모습처럼 앙증맞고 깜찍해 보였다.

그때 아내가"자기야 왜 그렇게 빤히 쳐다봐, 뭐 이상한 거라도 있어?"라고 묻는다. "아냐, 양파 찾느라고"

식탁에서의 단상

황토색 뚝배기에서 보글보글 끓는 된장찌개를 한 수저 떠서 넣으면 입안 가득히 따스함이 배어나는 그런 식사를 하고 싶다. 손마디 세 개 정도 크기의 총각김치를 입안에 넣고 "아삭아삭" 소리를 내며 깨물어 먹고 싶다. 무청을 손가락으로 집어 입안에 조금씩 밀어 넣으며, 매콤한 김치의 맛을 오랫동안 음미하는 그런 식사를 했으면 좋겠다. 커다란 양푼에 보리밥을 가득 넣고 고추장 한 숟가락, 콩나물과 호박 무침, 새싹에 참기름을 살짝 부어 쓱쓱 비벼 온 가족이 둘러앉아 수저를 부딪치며 식사했으면 좋겠다.

아내는 늘 은빛으로 반짝거리는 스테인리스 냄비에 찌개를 끓인다. 그리고 식사할 때면 으레 자그마한 그릇(앞접시)을 식구 수대로 식탁에 놓는다. 각자 먹을 만큼 찌개를 조금씩 덜어 먹으란다. 총각김치도 한입에 쏙 들어갈 만큼의 크기로 잘라 접시에 배열해 놓는다. 그렇게 하는 것이 더 정갈해 보이고 위생적이란다.

그런데 내게는 왠지 질박한 맛이 없고 가족 간 거리감도 생기는 것 같아 썩 마음에 들지 않는다. 예전에 김장할 때면 양념을 버무린 김치를 쭈욱 찢어 입안에 가득 넣어 주시던 어머님의 손맛 같은, 넉넉하고 훈훈한 정감이 들지 않는다.

식사하다가 나도 모르게 입맛을 다시며 쩝쩝거리다 보면 "아빠, 유럽 사람들은 소리 내며 음식 먹는 거 싫어한다."라고 딸아이가 말한다. 그럴 때면 으레"여기는 한국이잖아, 그리고 우리는 가족끼린데 뭘 그런 걸 따지니?"라고 응수하다 보면 밥맛은 이미 저만치 달아나기 일쑤다. 위생도, 서구 예절도 왠지 불편하기만 하다.

얼마 전에 대학에 다니는 딸아이와 어이없는 해프닝이 있었다. 우리 가족은 오래전부터 수돗물에 녹차를 넣고 끓여 먹는다. 끓여 먹는 물이 위생적이기도 하고 담백한 녹차의 맛에 적응되다 보니 우리 가족들의 식수로 자리 잡았다. 그런데 얼마 전부터 딸아이가 식용수를 사다 먹고 있었다. 그것도 레몬을 썰어 물병에 담아 마시고 있다. 자꾸만 신경에 거슬려 이유를 물어볼까 하다가 잔소리 같아서 그만두었다. 며칠 그러다 말겠지 했는데 여전히 그러고 있다.

그러던 어느 날 식사를 하다 느닷없이 내뱉은 말이 "너 왜 물을 다른 걸 마시니, 너무 유별나게 하면 사람들이 싫어하는데"라고 말해 버렸다. 그 말에 딸아이는 눈물이 글썽글썽해서 "아빠는 내가 물 좀 사다 마신다고 그게 그렇게 못마땅해요?"라고 말한다. "아니 물값이 얼마나 한다고, 물값 때문이 아니고 가족끼리 물까지 따로 마시니 이질감이 생겨서 그런다."고 했지만, 딸아이의 눈물이 그치기까지는 한참이나 걸렸다.

얘기를 들으니 늦게까지 공부하다 보니 얼굴에 트러블이 생겨 피부과 의사의 권유로 비타민C가 풍부한 레몬을 먹기 위해서 그런단다. 그럴만한 이유가 있었는데 무심한 아빠가 얘기도 들어 보지 않고 툭 던진 말이 딸아이에게 상처를 준 것이다. 딸아이의 서운한 마음을 어떻게 풀어 주어야 하나 고민하다가 다음 날 마트에 가서 식용수 몇 병과 레몬을 사서 식탁에 올려놓았다. 딸아이도 내 마음을 알았던지 금방 풀어져 갈등은 조기에 수습되었다.

가족이란 최소 단위의 공동체다. 그러면서도 바쁘다는 이유로 함께 대화할 시간이 없으니 서로를 이해하기가 쉽지 않다. 당연히 세대 차이가 나겠지만 스스로 젊은 세대의 의식과 행태를 이해하기보다는, 그저 아빠라는 권위로 종용하려고만 하였다. 가족이기 때문에 생활 습관과 생각마저도 같아야 한다고 생각해 왔던 건 아닐까?

작은 교자상에 머리를 맞대고 둘러앉아 함께 식사하고, 좁은 방에서 가족 간 체온을 나누며 함께 생활했던, 우리 세대와는 다른 생활과 다른 생각을 하는 것은 너무도 당연할 텐데 말이다. 그것을 가족이라는 이름으로 묶어두려 하지는 않았는지, 단체생활과 획일적 문화에 익숙한 내가 변해 가는 현실에 적응하지 못하고 있는 것은 아닐까?

그래도 왠지 살을 맞대고 살았던 기억에 익숙해서인지 변해 가는 세태가 씁쓸하기만 하다. 오늘 아침 얼음이 살짝 드리운 시원한 동치미 국물이 그리워진다.

걱정 말아요

아내가 갑자기 휴가란다. 연초에 바쁜 부서로 옮기고 나서 야근도 많이 하고 휴일도 제대로 못 쉬었는데, 나흘씩이나 휴가를 얻었단다. 그리곤 내일부터 당장 어디를 갈지 생각해 보란다. 관광지나 트레킹 할 만한 둘레길이 많기는 하지만 막상 갈 곳을 찾아보면 어느 곳은 갔다 왔고, 어느 곳은 너무 멀어서 마땅한 곳을 찾는 게 그리 쉽지 않다.

인터넷을 뒤적이다 우선 첫날은 가까이 있는 천안의 '천지호' 주변을 산책하기로 했다. 멀지 않은 거리지만 휴가를 조금이라도 아껴 쓸 요량으로 아침 일찍 출발했다. 초여름 오전의 따사로운 햇살이 호수에 반짝거리고 바람도 살랑살랑 불어 걷기에 좋은 날씨이다. 평일의 이른 오전이라서 인지 주변에는 사람이 없다.

도착하자마자 우선 화장실로 갔다. 볼일을 보고 여자 화장실 앞에서 아무리 기다려도 아내가 나오지 않는다. '벌써 나왔을 리가 없는데'라고 생각하며 주위를 둘러봐도 아무도 없다. 웬일일까? 갑자기 불안해지며 여자화장실 쪽을 기웃거려 보지만, 그렇다고 안으로 들어갈 수도 없다.

안절부절못하고 화장실 앞을 서성거릴 때 여자가 한 사람 오더니 화장실로 들어간다. 화장실의 문이 열리면서 아내가 허겁지겁 문밖으로 빠져나온다. 왜 이리 오래 걸렸느냐고 핀잔을 주자, 안에서 문이 열리지 않아 갇혀 있었단다. 화장실로 들어가던 여자가 문가에 설치된 버튼을 가리키며, 그걸 눌러야 문이 열린다고 했단다.

호숫가를 걸으며 아내가 살며시 손을 잡는다. 손을 맞잡고 있으니 조금 전 화장실 앞에서의 불안했던 마음이 싹 가신다. 그러고 보니 밖에만 나서면 늘 아내가 걱정이었다. 물가에 내놓은 아이처럼 불안하기만 하다. 성격이 느긋해서인지 내가 보기엔 늘 해찰을 부리는 것 같고 종종 무언가 깜박 잊어버리곤 한다. 그래서 놀러 갈 때는 선글라스를 챙겨라, 모자는 챙겼느냐, 핸드폰은 어디 있느냐며 일일이 잔소리를 한다.

둘째 날은 울산의 태화강과 대왕암공원을 찾아 강변과 바닷가를 산책했다. 바닷가의 산책로가 험하니 또 불안해진다. 무릎 관절이 안 좋은 아내가 비탈진 길을 걷는 것을 힘들어하기 때문이다. 바위로 된 험한 길은 부축을 하며 걸었고, 바람이 너무 세게 불어 암벽이 있는 곳은 가까이 가지 못하게 했다. 그러고 보니 든든한 보호자로서의 책임과 의무를 다하고 있는 자신이 대견스럽기까지 하다.

셋째 날은 제천에 있는 비봉산에 가서 케이블카를 탔다. 그렇게 3일간을 꼬박 여행하며, 오랜만에 아내와 달콤한 시간을 보냈다. 사흘 동안 연속해서 여행을 다녀오고 나서, 마지막 휴가를 어디로 갈까 상의하자 아내는 마지막 날은 그냥 집에서 쉬고 싶단다.

다음 날 오랜만에 늦잠을 자고 일어나니 아내가 식탁에 시무룩하게 앉아 있다. 며칠간 여행 잘하고 왜 표정이 그러냐고 물어도 대답이 없다. 한참을 망설이더니 다음 달에 다른 곳으로 인사발령이 날 것 같다고 한다. 일단 발령이 나면 집을 떠나 있어야 하고 직업(소방관)의 특성상 근무지를 벗어나지 못한단다. 그리되면 한동안 집에 올 수 없는 것이다. 그 말을 들으니 덩달아 나까지 시무룩해진다.

아내는 아침을 준비하며 주방으로 오란다. 그리고 이것저것 살림살이에 대해 알려준다. 냉장고에 마늘 갈아 놓은 곳, 파 썰어 놓은 곳, 참기름, 들기름, 고춧가루 있는 곳을 일러 준다. 감자나 양파는 신문지에 싸서 보관해라, 프라이팬이 약간 달구어졌을 때 올리브유를 쳐라. 들기름은 상하니 냉장고에 보관하란다.

아침을 먹고 나서는 설거지 할 때의 주의사항을 말해 준다. 주방 밑의 눈에 보이지 않는 음식 찌꺼기를 가끔 철 수세미로 깨끗이 닦아 줘라. 그래야 음식 썩는 냄새가 안 난다. 화장실 안쪽의 물 빠지는 곳을 드러내고 청소해 줘라. 문틈이나 구석진 곳은 가끔 락스로 닦아 주어야 곰팡이가 슬지 않는다. 화장실 쪽의 드레스 룸은 습하니 문을 자주 열어 놓아라. 알아서 할 테니 걱정하지 말라고 해도 그렇게 종일 이런저런 잔소리를 해댄다.

그러고 보니 결혼한 지도 벌써 30년이 넘어, 우리들의 나이가 환갑을 전후하고 있는데도 서로가 미덥지 못한가 보다. 이제 잠시 떨어져서 생활한다고 생각하니, 이리도 안절부절 불안해하고 있다. 나는 혼자 객지에 가서 근무해야 하는 아내가 걱정인데, 아내는 오히려 집안일을 해 보지 않은 나를 두고 떠나는 것이 걱정되나 보다. 내가 그리도 미덥지 못했나 하면서도 한편으로는 자신보다도 내 걱정을 해 주는 아내의 애틋한 마음이 고맙기만 하다.

서로를 사랑한다는 것은 늘 상대에게 마음을 써 주는 것이다. 사소하고 불필요할 것 같은 일들조차 세심하게 서로 챙겨주고 배려하는 것이 사랑이다. 오늘 아내의 속 깊은 잔소리에는 그런 사랑이 묻어 있었다.

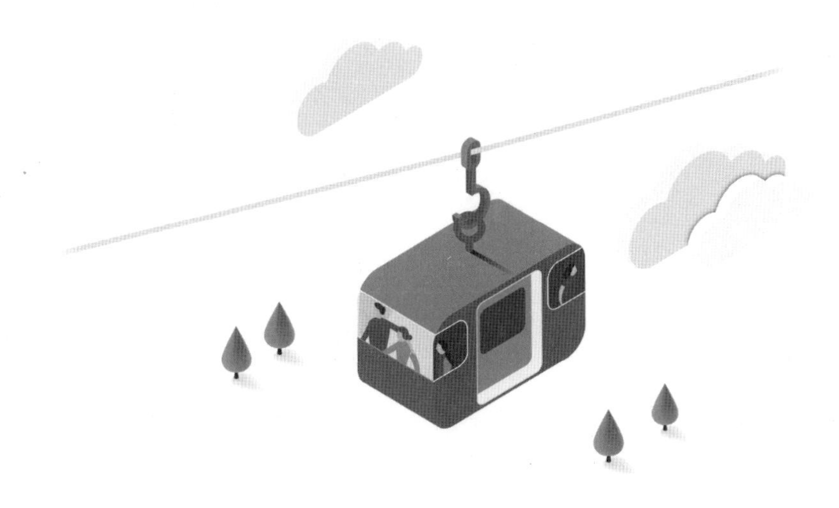

신찬인 수필가를 말하다

충북수필문학회 회장 변 종 호

푸른솔문인협회 회장 강 대 식

청솔문학작가회 회장 임 미 옥

전 충북시조문학회장 김 선 호

수필가라는 이름으로 상재하는 작품집은 작가가 견뎌내며 살아온 생의 결이고 옹이이며 궤적이기에 한 권의 수필집을 다 읽고 나면 작가의 많은 것을 알게 된다. 진정성이 본질인 수필은 글과 사람이 같아야 하는데 이에 가장 적합한 작가가 신찬인 수필가이다. 외모만큼이나 반듯한 인품을 갖춘 데다 진솔하고 군더더기 없는 깔끔한 문장에 마음이 간다.

수필은 주제의 문학이기에 작품성을 높이기 위해 참신성과 자신만의 개성이 필요하다. 이런 연유로 세심한 통찰과 깊은 고뇌를 통해 사유를 넓혀가야 하기에 끝없이 공부하지 않으면 안 된다. 그런 맥락에서 신찬인 작가는 일상에서 접하는 사물이나 사안을 재해석하고 본질을 찾아 의미를 부여하며 형상화하느라 노력한 흔적이 작품 안에 고스란히 녹아있다.

그동안 얼마나 호들갑스럽게 살아왔는가? 자신을 포장하고 터무니없는 색깔을 입히려고 무던히도 애쓰지 않았던가? 이제는 아집과 편견, 가식에서 벗어나 말없이 자신의 길을 가보자. 이 또한 아름답지 않겠는가?

「바람과의 대화」 작품 중

「바람과의 대화」에서 작가는 '자신의 길을 가보자'라고 했다. 이렇듯 신찬인 수필가는 성찰에 충실하다. 수필가에게 반드시 필요한 덕목이 성찰이지만 이것은 상처를 드러내고 헤집는 일이며, 틀어진 길을 바로잡는 것이자 자아를 찾아가는 길이요, 자신의 문체로 그린 그림을 세상에 드러내는 일이기 때문이다.

작가는 작품집을 세상에 내놓으며 사유의 뜰을 넓히려 한 번의 탈피를 하지만, 이런 과정은 고통이 따르기 마련이다. 누구나 쓸 수 있는 글이 아닌 수필 창작은 사유와 언어와의 싸움을 견뎌야 하기에 갈수록 쓰기가 어렵다고 느낄 수도 있지만, 그 또한 홀로 넘어야 할 고개이다.

첫 수필집 상재를 축하한다. 공감할 수 있는 작품이 많아 독자의 사랑을 듬뿍 받을 수 있을 거라 믿는다.

충북수필문학회 회장

변 종 호

내가 닮고 싶은 수필가

살다 보면 수많은 사람을 만난다. 만나는 사람마다 독특한 개성과 인품이 서로 달라 더 가까이 하고 싶은 사람과 그만 만나고 싶은 사람이 있다는 것을 알게 된다. 누구를 만나느냐의 문제는 사회생활을 하는 인간에겐 매우 중요하다. 자기가 만나는 사람이 누구인가에 따라서 앞으로 전개될 삶에 직간접적으로 영향을 주어 때로는 인생의 변곡점을 그릴 수도 있기 때문이다.

내가 신찬인 작가를 만난 것은 내 나이 50대 중반이 되어서다. 대학교 직속 선배이고, 도청에서 오랫동안 직장생활을 하셨기 때문에 같은 지역에서 살아왔던 내가 대학을 졸업하고 30년이나 되어서 만나게 되었다는 것이 오히려 이상할 지경이다. 신찬인 작가가 푸른솔문인협회에 입회하지 않았다면 어쩌면 만나지 못하고 스쳐 지나치듯 그렇게 각자의 인생길을 걸어갔을지 모른다. 그랬다면 어쩔 뻔했을까. 나는 인생에서 귀중한 멘토 한 분을 만나지 못하는 손해를 감내해야 했을 게다.

신찬인 작가는 인품이 남다르다. 사람을 대할 때 상대를 배려하고 자신을 낮추는 모습을 보면서 벼가 익어갈수록 고개를 숙이는 이치를 배운다. 그렇다고 모든 것을 받아주지도 않는다. 옳고 그름에 따른 판단과 결정이 확실하다. 오히려 강직하다고나 할까. 이는 오랜 공직 경험에서 몸에 배어있는 철학일 게다. 그런 신찬인 작가의 모습을 보며 나는 앞으로 전개될 내 인생길에서의 마음가짐도 그리하도록 해야겠다는 다짐을 한다.

신찬인 작가는 음악을 사랑하고 인생을 즐길 줄 안다. 그런 여유로움이 글 속에도 묻어난다. 꾸밈이 없이 진솔하게 들려주는 이야기 속에는 정이 있고, 따뜻함이 스며있으며, 가슴 뭉클한 연민이 서려 있고, 서정성이 넘친다. 그런 작가의 감성이 묻어나는 '달빛 소나타'를 출간한다는 소식은 반갑고 설렌다.

첫 수필집 상재를 축하드리며, 항상 독자들과 함께하는 수필가가 되시기를 기대해 본다.

푸른솔문인협회 회장

강 대 식

한 수필가의 작품을 이해하려면 그의 문학적 인자(因子)가 어디서부터 기인했는지 살펴볼 필요가 있을 거다. 신찬인 수필가의 행적을 해적이 하여 본다. 그는 꺼져가는 등불처럼 아버지가 약해지셨을 때 비로소 아버지 사랑을 진하게 느끼며 눈물 흘리는, 직장을 우선하여 아내 혼자 수술실에 들여보내고 우는, 우리 시대 남자다. 그는 행정가였다. 충청북도문화체육관광국장을 거쳐 충청북도의 회사무처장으로 공직을 마쳤다. 등단작품 두 편이 주목받을 수 있었던 건, 도지사 연설문을 쓸 때부터 기본기는 되어 있었으리라.

그가 사유하는 지층은 깊다. 자연과 인간을 깊이 들여다보며 정서의 광맥을 짚어 찾아 나선다. 그렇게 길어 올린 한 모금 문장들은 맑은 샘물 같아 상큼하게 한다. 그의 수필은 촘촘하다. 땅바닥에 엎드려 있는 패랭이꽃, 달맞이꽃, 망초꽃에까지 안쓰러운 마음을 얹는다. 그의 수필은 단조롭지 않고 다양한 변주가 있다. 가위 들고 머릿속을 헤집고 면도칼을 목에 들이대는 이발소 경험으로 웃게 하더니, '이루마' 곡 '키스 더 레인(Kiss The Rain)' 피아노곡을 소개하여 독자들을 영화 속 한 장면으로 데리고 간다.

그의 수필들은 평범한 일상을 그리움이란 잔잔함으로 덧칠하고 채색한다. 한때 청주의 맥박이었던 사직동 '국보제약' 골목을 걸으며 사라져버린 옛것을 끄집어낸다. 그 추억이라는 끈으로 과거와 현재를 잇고 골목이 새롭게 약동하는 꿈을 꾸며 미래로 잇는다. 때로는 증평 보강천 아침 산책길로 독자를 데려가기도 한다. 다리 아래 벤치에 구르는 소주병에 실직했을, 퇴직했을, 이 시대 가장의 간밤 쓰라림을 반영한다. 종이컵에 반쯤 남은 투명한 이슬에서 그 남자의 상처를 어루만지며 그 남자일 수 있을 자신을 위무한다. 그리고 그 남자에게 자신에게 또 다른 날개를 달아주며 창공을 날게 한다.

때로는 악보로도 수필을 써나간다. 퇴직하면서 배우기 시작한 피아노 건반 위에 수필을 얹기도 하고, 학생 때부터 연주한 기타 소리가 수필이 되기도 한다. 청주남성합창단원으로 활동하면서 부르는 노래에도 문학을 얹어 수필로 형상화하기도 한다. 그의 글은 사색을 넘어 폭넓은 인간애를 넘어 결국은 삶으로 귀결된다. 앞으로도 더욱 거침없는 문학 행보를 기대한다.

청솔문학작가회 회장

임 미 옥

마스크를 생활필수품으로 만들어 버린 코로나19는 우리 일상을 참 많이도 바꿔 놓았다. '언택트'니 '온택트'니 하는 신조어가 익숙하고, 명절에 고향을 찾지 않는 게 미덕이 됐으니 기가 막힐 노릇이다. 그뿐인가, 가정의 평화마저 위협한다는 진단도 있다. 집안에서 함께 지내는 시간이 길어지다 보니 가족 간에 의견 충돌이 잦고 갈등의 골도 깊어진다는 뉴스를 접한다.

이 수필집에서 먼저 큰 울림으로 다가온 건 가족 사랑이다. 술 좋아하시는 아버지 덕에 허구한 날 속 끓이다가도, 꽃밭에서 훌훌 털고 위안을 찾으시던 어머니, 그를 바라보는 작가의 마음이 애잔하다. 수돗물 대신 생수를 사다 먹는 딸에게 한마디 했다가, 얼굴에 생긴 트러블 치료 중이었다는 걸 알고, 무심했던 자신을 뉘우치는 모습을 통해 소통의 소중함을 일깨운다.

무엇보다 애틋한 건 부부간의 사랑이다. 남편의 바쁜 사무실 형편으로 혼자 입원 수속을 해야 하는 아내를 만나 보면 가슴이 먹먹하다. 결혼기념일은 고사하고라도 변변한 생일 이벤트 하나 챙기지 못하고 머리 스타일이나 옷이 바뀌어도 알아보지 못했던 남편은 씁쓸한 과거를 반추하며 아내에 대한 사랑을 다짐한다. 낯달맞이꽃에서 노란 한복 차림으로 폐백 드리던 신부를 불러낸다. 그러다 부부는 어렵사리 여행길에 오른다.

천지호에서 태화강으로, 다시 비봉산으로 이렇게 사흘을 함께했던 꿈같은 휴가, 마지막 날 아내는 남편을 주방으로 부른다. 다른 곳으로 인사발령이 나서 당분간 혼자 살아야 한다며 요모조모 살림살이에 필요한 주의사항을 일러 준다. 한시적이겠지만, 갑작스러운 이별은 부부를 더욱 돈독히 다지는 걸까? 서로서로 안쓰러워하는 부부애가 영화 러브스토리의 한 장면 같다. 코로나19가 가정의 평화를 위협한다는 오늘, 우리에게 심금을 울리는 카타르시스로 작용하리라 굳게 믿는다. 신찬인 수필가의 처녀 수필집 상재를 진심으로 축하하며 읽은 소감을 감히 작가의 이름삼행시에 간추린다.

신)선한 새벽 공기 가슴으로 스며든 듯

찬)란한 아침 햇살 온몸으로 부서진 듯

인)자한 성현 말씀이 귓가에 매달린 듯!

전 충북시조문학회장

김 선 호

달빛 소나타

초판 1쇄 · 2021년 3월 1일

지은이 · 신찬인
제 작 · (주)봄봄미디어
펴낸곳 · 봄봄스토리
등 록 · 2015년 9월 17일(No. 2015-000297호)
전 화 · 070-7740-2001
이메일 · bombomstory@daum.net

ISBN 979-11-89090-46-3(03800)
값 13,000원